第二世界のカルトグラフィ

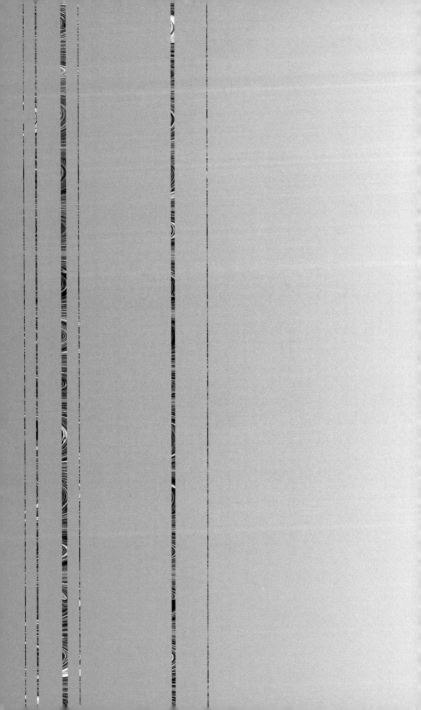

境界／の／文学

第二世界のカルトグラフィ

NAKAMURA Takayuki
中村隆之

editorialrepublica
共和国

0 第二世界は存在する

いくつもの本を読んできた。行き交う人々と話してきた。最初は疑った。そんなもの、あるはずないじゃないか。夢に決まっている。作りごとを信じてどうするんだ、って。そんなわたしに同調してくれる人は多いし、常識的な人ならば、そんなものは端から信じない。わたしだってそうだ。そう言い切りたかった。けれども、とうとう疑いきれないところまできてしまった。その存在をはじめて教えてくれたのは、誰だったのか、どの本だったのかはもう思い出せないけれど、あの世界は、やはり現に存在する。隠された世界といえば、いいのだろうか。その世界は、ありのままに周囲を見たり、日々の情報に触れたりするだけでは、想像することすら難しいのだから、わたしたちの視界からはたしかに隠されているようだった。

けれども、もうひとつの世界のことは、誰もが実はうすうす気づいている、とも言えそうで、そんな話を聞かされれば、疑うのは無理がないけれど全否定はできないし、心のなかではそんな世界があったらいいのではないか、とも思ってしまいそうなのだった。みんな、普段そのことに考えをめぐらさないようにしているだけなのかもしれない。

そうであるのだから、その世界のことはこれまでもひそひそと話題にされてきた。人によってその呼び方はさまざまだが、わたしはその世界を今は「第二世界」と呼んでいる。

まことに不可思議なこの言葉は、ある小説のなかに出てくる。『カリブ海偽典』(2002/塚本昌則訳、紀伊國屋書店、二〇一〇)という日本語版で千頁に届くほどの小説で、カリブ海のフランス領の島マルティニック出身のパトリック・シャモワゾー(一九五三生)が書いた。そのなかに「第二世界の〈場所〉の手帖」というエピソードが差し挟まれている。その冒頭を引用してみよう。

原則――第二の世界が存在する。人間本性の粗暴さのせいで、それは私たちから隠されている。それは大陸ではない。島ではない。人間たちが国境線で囲み、旗を打ち立てた土地ではない。それはいくつもの〈場所〉なのだ。

第二世界の〈場所〉とは、たとえば、空を飛ぶ鳥たちが巣を作る「静かな崖」であったり、森に住む人々の「大きな樹々」であったり、「石灰岩とダイオウヤシでできた高原」だったりする。それは普段、わたしたちの想像力からは隠されている未知の場所だ。そうした場所に行くことは叶わないけれども、第二世界に向かってわたしたちの想像力を解き放つことはできる。

ところで、第二世界と聞いて、二十世紀のなかで夢見られたもうひとつの世界を呼び起こす人もいるかもしれない。「第三世界」と呼ばれた空間だ。東西冷戦のなかで、資本主義陣営にも社会主義陣営にも属さない、新しい道を新興独立諸国が歩もうとするなかで生まれた合言葉だ。この世界をより良く変革しようという社会的な希望が人々に夢見られ、分かち持たれた。第二世界という言葉は、二十世紀のこうした集団的夢を思い起こさせなくもない。

ところが、そうした理想社会の夢は潰えてしまった。この地上にそんな楽園はやってこないどころか、わたしたちの生きる世界のヴィジョンは、もはや絶望で覆われてしまっている。だからといって、この世界で生きる以上は自分と周囲の人々が幸せであってほしい、というささやかな願いは、そうそう捨て去ることはできないはずだ。第二世界とは、そんな普通のわたしたちのための不屈のヴィジョンだ。そこは、理想社会の夢が潰えたあとに、なおも人々のうちに必要とされるユートピアであり、「国家でも、故郷でも、国でもない」ものとして存在する。

逆説的であるけれども、わたしたちは、第二世界を探しに遠くまで出かける必要はない。その〈場所〉は実はとても身近なところにある。書棚のなかに埋もれた本たちもまたそうした〈場所〉なのだ。

詩のなかに存続する〈場所〉がある。その〈場所〉は、マーモットと子ヤギの耳の皮でつくられた古い羊皮紙に書かれたテクストのなかに、完全な形で保たれている。そのテクストは無限に増殖し、それぞれのテクストが他のすべてのテクストに差し向けられ、その送り記号が大地全体の上にひとつの地理を組み立てる。

こうして、わたしは、第二世界という思念をたずさえて、隠された世界の〈場所〉を探す旅に出ることにしたのだった。この本は、その旅の記録だ。個人的な思い出でもある。二〇一七年から二〇二一年まで、足かけ四年にわたってつづけてみた。実際に海外に旅に出ることもあったが、多くの〈場所〉は本のなかに見つかった。

第二世界の〈場所〉を探り当てるこの旅は、わたしの敬愛する、このパトリック・シャモワゾーという作家の考えが出発点であることから、どうしてもカリブ海のフランス語の作家たちの話題が多くなるし、シャモワゾーが師匠と仰ぎ、わたしが長く読んできたエドゥアール・グリッサンという詩人、思想家（一九二八―二〇一一）にどうしてもこだわることになる。しかし、旅の途上で出会った、芸術家や作家たちは実にさまざまだ。実際に会った人もいれば、もう会えなくなった人もいる。踏破するのは、空間ばかりではない。十七世紀の思想家の本のなかに第二世界の〈場所〉を見出すこともあった。この暗い時代であるからこそ、苦しみと痛みの土地もまた避けることなく通って行った。

このささやかな旅の記録から、どのような地図が浮かび上がってくるだろうか。

第二世界のカルトグラフィ

目次

第Ⅳ部　交響

North Atlantic Ocean
N
W
E
S
Hispaniola
Puerto Rico
Anguilla
Guadeloupe
Dominica
Martinique
Barbados
Grenada
Trinidad

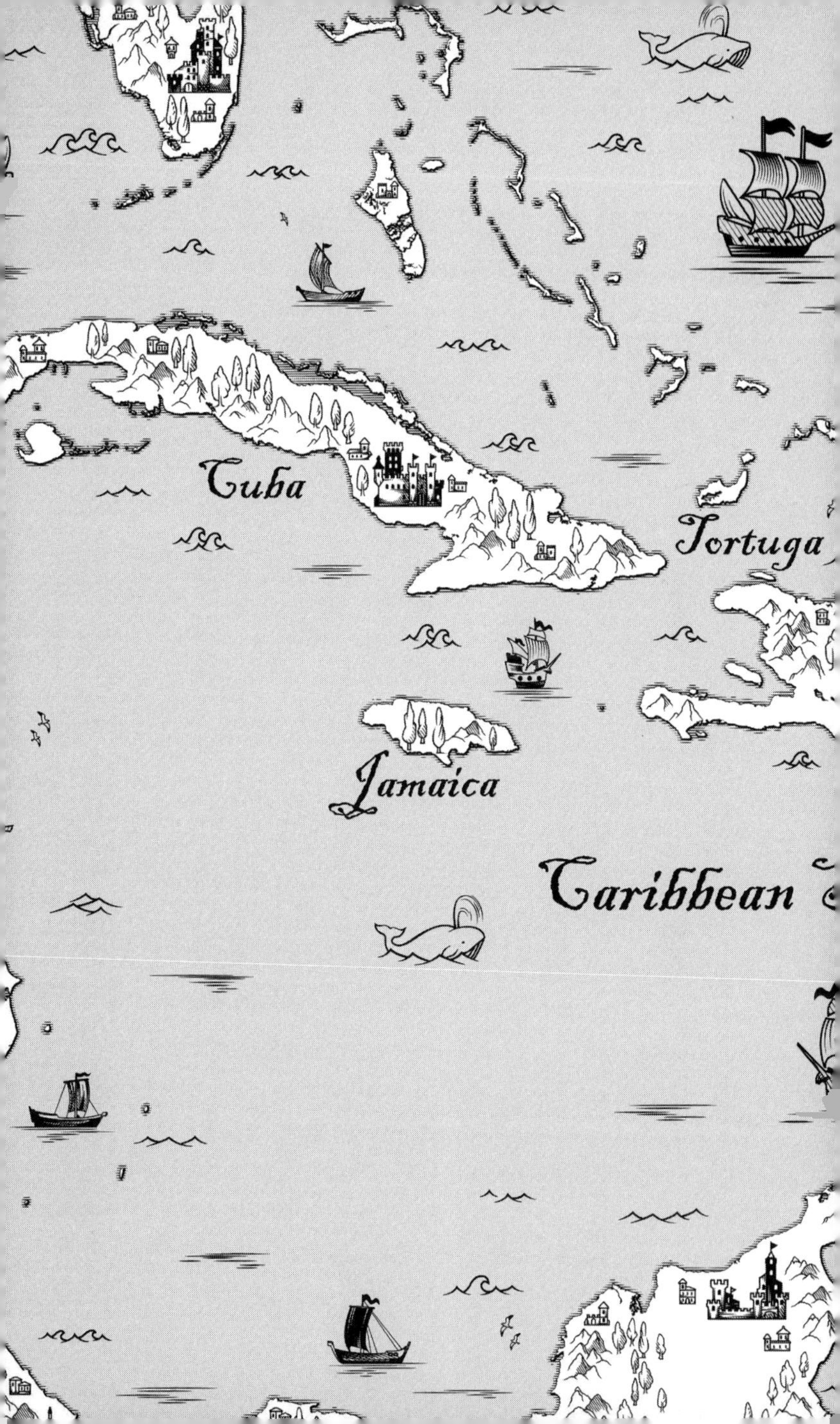
Cuba
Tortuga
Jamaica
Caribbean

本文への引用にさいして、難読漢字の一部にルビを附したほか、漢字をひらがなに、算用数字を漢数字に変更した箇所がある。諒とされたい。

第Ⅰ部 場所

1 反復される川の記憶

二〇一七年六月二十六日から三十日まで、カリブ海のフランス海外県マルティニック島のアンティル大学で国際フランス語圏研究学会の年次大会が行なわれた。わたしは、日本と韓国からの研究者仲間と一緒にこの大会に参加し、エドゥアール・グリッサンの小説『痕跡』（1981／拙訳、水声社、二〇一六）を題材に、同作品の動物の表象とその役割に関する報告を行なった。

学会の会期中、日本の研究者仲間がレザルド川を見に行きたい、と言った。グリッサンの最初の小説はこの川の名を冠している。フランス語で「亀裂」を意味し、その音と綴り（lézarde）からこの島々に棲む大小さまざまな爬虫類（lézard）

を思い起こさせるレザルド川は、グリッサンの小説世界のなかで、島の人々の生活と風景を凝縮し、象徴するような根源的な川として流れている。

グリッサンは『レザルド川』でカリブ海の熱帯の島の風景を描いた。まるで登場人物というよりも島そのものが主人公であり、島が集団的言表行為の主体であるかのような語りを生み出した。それ自体がひとつの完成された小宇宙である『レザルド川』（1958／恒川邦夫訳、現代企画室、二〇〇三）から始まり、グリッサンはマルティニック島をモデルとする土地の物語を『第四世紀』（1964／菅啓次郎訳、インスクリプト、二〇一九）、『憤死』（1975／星埜守之訳、水声社、二〇二〇）、『痕跡』、『マホガニー』（1987／塚本昌則訳、水声社、二〇二二）のなかで連作の手法を用いて描きながら、その舞台を『全－世界』（1993）にまで拡張し、アフリカの架空の民族をめぐる『サルトリウス』（1999）を経て、これまでの小説での試みを凝縮したかのような『オルムロッド』（2003）で、約半世紀にもおよぶ小説の時空のサイクルを閉じた。

『全－世界』以降、グリッサンの小説は、彼が言うところの〈世界としての共同体〉のための新たなる文学ジャンルの創出に向かったように思える。マルティニックの風景を描くという試みから出発したグリッサンの文学的冒険は、もはやだれも見たことのない未踏の風景にまで及んでいった。

しかし、「最後の小説」に至るまで、グリッサンは最初の小説における主題やモチーフを繰り返し語ってきた、ともいえる。グリッサンがクレオールの語り部の技法として幾度も言及してきた「反復」は、彼の作品に応用される重要な手法のひとつだ。その観点から書かれたジュリエット・エロワ＝ブレゼ『「レザルド川」から「オルムロッド」へ——反復の詩学』(2016)は、学会の会期中に出会った本のなかで、ひときわ関心を引いた。

『レザルド川』に関する読解教材を執筆している著者は、この小説の文字通りの専門家であり、今回の著作でも『レザルド川』を中心に論じている。では何が反復されるのか。それはなによりもレザルド川それ自体であり、マチュー、タエル、ミセア、パパ・ロングエといった主要登場人物である。こうしたことはグリッサンの読者であればある程度は知っているが、何がどこまで描かれるのかを追跡するのは容易なことではない。さらに興味深いのは、抽象的なモチーフの反復であり、物語を誰がどのように書くのかをめぐって、物語の書き手が作中に繰り返し登場する、という指摘だ。

実際、政治と青春の季節を描く『レザルド川』のクライマックスでは一人称の語り手が作中人物の一人として登場し、マチューたちに物語を書くことを託される場面がある。

物語を書けよ。君は一番若いし、想い出せるはずだ。〔……〕熱を込めて本を書けよ、すべての熱を込めて。君を酔わせるそれを、君を郷愁に誘うそれを。君を守り、豊かにするその熱を込めて。

書くことをめぐるこうした入れ子構造は、たしかに他の作品でも繰り返される。もっとも際立つのは『マホガニー』や『全‐世界』のなかで作中人物にして書き手という立場で登場するマチューだろう。試論の系列に位置づけられる『全‐世界論』(1997/恒川邦夫訳、みすず書房、二〇〇〇)のなかにはマチューが書いた同名の著作が挿入されるという入れ子構造になっている。その点で『レザルド川』のモチーフの反復だと言えるのだ。

百頁足らずの小著ながら、彼の小説に長く親しんできたエロワ゠ブレゼだからこそ書けるものだという信頼のもとに読むことができた。著者は島の人で、グリッサンが創設した私立高校「マルティニック学院」でフランス文学を教えていた。たとえば『痕跡』で主人公のマリ・スラが収監されていた精神病院が、ディディエ地区のコルソン精神病院をモデルにしていたことも何気なく書かれている。現実への隠された参照点にこのように思いがけず気づくのは、島の外に暮らす人間にはありがたい。グリッサン作品の風景をマルティニック島のうちに見出すきっかけが得られるのだから。

今回の滞在中、レザルド川や、グリッサンが少年時代を過ごしたラマンタン市を見学(再訪)する機会は最後まで訪れなかった。しかし、だからこそわたしの友人たちはレザルド川を改めて見に行こうとこの島にやって来るのではないか、とひそかに期待している。「戻り来る人の島」の異名をもつ、この島に。そして、いずれは蝶形の群島グアドループにも。なぜならこの場所にもレザルドという名の川は流れているのだから。

2 カリブ海の移動と交流

二〇一八年のノーベル文学賞は選考関係者の不祥事によって発表が見送りになったために、その代替賞「ニューアカデミー文学賞」が創設された。村上春樹は、この代替賞の最終候補四名のうちに選ばれたものの、執筆への専念を理由にノミネートを辞退した。同年十月十二日、代替賞の受賞者にはフランス海外県グアドループ島出身の作家マリーズ・コンデ（一九三四生）が選ばれた。

パスカル・カザノヴァの『世界文学空間』(1999／岩切正一郎訳、藤原書店、二〇〇二）によれば、文学の世界もまた不平等構造を抱えている。マリーズ・コンデは、奴隷制の歴史と切り離すことのできないカリブ海の島のひとつに生まれたのに加え、女性であることに由来するジェンダー面でのハンディキャップを負ってきた。そんな〈周縁〉の作家が、二十世紀までの文化的覇権言語フランス語を用いて独創的な文学世界を作りあげ、ついに「世界文学」の主要作家として聖別された、ということだ。ノーベル文学賞ノミネートの常連であるのに加え、村上春樹が辞退したことでニューアカデミー文学賞の受賞を有力視されていたとはいえ、長らく体調不良が伝えられる老齢のコンデが今回の機会を逃さなかったのは、この分野を研究する者には、たいへん嬉しい。

さて、コンデの受賞を呼び水に、彼女の作品が改めて注目されるだろうと思い、確認してみて驚いた。『わたしはティチューバ』（1986／風呂本惇子＋西井のぶ子訳、新水社、一九九八）、『生命の樹』（1987／管啓次郎訳、平凡社、一九九八）、『風の巻く丘』（1995／風呂本惇子＋元木淳子＋西井のぶ子訳、新水社、二〇〇八）、『心は泣いたり笑ったり』（1999／くぼたのぞみ訳、青土社、二〇〇二、以上小説）と評論集『越境するクレオール』（三浦信孝編訳、岩波書店、二〇〇一）が日本語で読めるのだが、二〇一八年十月末の時点で購入できるのは『風の巻く丘』のみであり、あとの小説は古書か図書館でしか入手できない状況にある。そうであればこそ、第二世界の詩学を素描する小説『生命の樹』を、復刊への期待を込めて、ここでは取りあげておきたい。

本書は副題にあるとおり、何世代にもわたる家系の物語だ。語り手は、ルイという苗字をもった家系に一九六〇年に生まれた女性である。「ココ」というあだ名（本名はクロード）で呼ばれる彼女は、母テクラが十八歳で産んだ子だ。テクラはジャコブを父にもち、さらにジャコブの父はアルベールという。ココは自分の曾祖父アルベールにまでさかのぼって、ルイ一族の物語を書いた。それが本書である。

物語はアルベールに関する記述から始まる。曾祖父アルベールはグアドループの黒人の大男で、パナマ運河建設の労働者として、一九〇四年三月に移民となって二年間の契約書にサインをして出稼ぎに出る。このパナマ滞在中にライザというジャマイカ出身の女性に出逢い、子供を授かる。ところがその子がジャコブであるかというと、そうではない。アルベールの最愛のライザはグアドループで若くして死に、「ベール」というあだ名で呼ばれる二人のあいだの子（本名は父と同じアルベール）は勉学に励み、フランスに留学することになる。

一方、ライザを亡くしたアルベールは、再びパナマに戻り、葬儀屋を始めて財をなすと、ライザからかつて聞いた夢と希望の町サンフランシスコに渡る。しかし彼の相棒ジェイコブが白人に惨殺されたことから、十年間の海外生活に区切りをつけて、意気消沈してグアドループに戻ると、今度は輸出業を始めて財を増やし（アルベールには商才があるのだ）、そしてエライーズと再婚する。このエライーズとのあいだの子の一人が祖父のジャコブである。

このようにルイ家とは成り上がった黒人の新興ブルジョワの家系だ。その創始者アルベールは、パナマ時代にマーカス・ガーヴィーの思想に触れ、黒人意識に目覚めて、白人による人種差別を批判する思想を抱くようになる。財を築いたばかりに政治活動にも打って出るが、人種差別の激しい当時のカリブ海フランス領では、アルベールのような黒人に出る幕はない。白人と黒人の混血であるムラート階級の政治家や共産主義者が、アルベールの黒人主義をこてんぱんにたたきのめす。政治へのコミットメントとその苦い挫折は、ルイ家のなかで繰り返される悲劇となる。

もうひとつ、ルイ家を苦しめるのは、白人との結婚である。フランスに留学したベールは、瓶工場で働く白人女性と恋仲となり、彼女はやがて子を宿す。ベールは決意を固めて彼女と結婚するが、黒人主義思想の持ち主の父から勘当されてしまい、失意のうちに、自殺を遂げる。波乱万丈の生活を送るココの母テクラもまた、多くの男性遍歴のあと、白人の医師と結婚する。

ルイ家とはいったい何だったのか。語り手のココは、この一族の生き方を「悪らつな生」という言葉で幾度も語る。生きているのが嫌になるような、容赦なくひどい人生だということだ。しかし、こんな人生なんて生きるのはごめんだ、という嘆き節ではなく、むしろどんな逆境にも負けずに生き抜いてやる、という意思がルイ家の繁茂する生命力をなしている。

ルイ家はひとつのモデルにすぎない。現実のカリブ海世界でも、この一族に負けずとも劣らない家系の歴史を人々は紡いでいるからだ。そこから明かになるのは、カリブ海の民の避けがたい移動と交流だ。島は、閉鎖的であるからこそ反対に開放的であり、カリブ海の島々のあいだでは数え切れないほどの移動が繰り返されてきた。それは比較文学者の西成彦（一九五五生）が注目する「マージナルな移動」であり、この本は、植民地支配による言語圏の分断を軽々と越える、移動の軌跡を見事に示している。そしてその交流は、男女の関係、友愛の関係においては人種や階級を越えるものだということも。

小説としては、本書に込められたメッセージもさることながら、風景描写のさいの豊かな比喩表現も醍醐味だ。

アナイーズが死んで、この自殺した女が生命を愛していたことの逆説的なしるしとして、七日七晩にわたって土砂降りの雨がつづいた。六月、つまり硫黄の色に枯れた砂糖黍畑の上に光がきらめく月、ラ・ポワントの町では水がとだえる火事の月、途方もない暑さの月に、空は壊れた樋のように水をぶちまけたのだ。大地はもうたくさんというまで、ふんだんに水を飲まされた。

土砂降りの雨を、これほどまでにイメージ豊かに描き出すマリーズ・コンデのこの訳書に、読者が海外文学の棚で再び出会える日は、きっとそう遠くないはずだ。

そう願って一年ほど待ったとき、『生命の樹』は平凡社ライブラリーの一冊に入った。二〇一九年十二月のことだ。さらに喜ばしいことに、二〇二一年上半期にはノーベル文学賞の「控えの間」とも呼ばれるチーノ・デル・ドゥーカ世界賞がコンデの全作品にたいして授与された。これからのノーベル文学賞が待ち遠しい。

3 アフリカの魂を探して

文化接触をつうじた相互変容という観点からサハラ以南のアフリカ系文化を論じてきた著作の系譜をたどっていくと、一九七〇年代に訳されたヤンハインツ・ヤーンの『アフリカの魂を求めて』（1958／黄寅秀訳、せりか書房、一九七六）の重要性に今さらながら気付かざるをえない。

わたしがクレオール文学に出会い、なかでもエドゥアール・グリッサンに興味を覚えて研究のまねごとを始めた二十世紀末には、クレオール文学*に先行するネグリチュード文学**が話題となることがあっても、ヤンハインツ・ヤーンのこの本が再注目を浴びる機会はなかった。

ところが、アフリカ系文化全般を視野に入れたわたしの研究過程で実感してきたのが、クレオールの思想をアメリカスにおけるアフリカ的なものの継承と変形という人類学的観点から、史的に捉えることの圧倒的な重要性だ。拙著『カリブ－世界論』（人文書院、二〇一三）を執筆したさいには植民地化以後のアフリカのことは視野に入っていたものの、奴隷貿易以前にまでは思考が及ばなかった。振り返ればこのことは、グリッサンが奴隷船におけるアフリカからの断絶の経験を強調してきたことと無縁ではない。

本書の著者ヤンハインツ・ヤーン（一九一八―一九七三）は、ドイツの著述家であり、一九五一年にフランクフルトでネグリチュードの詩人にしてのちのセネガル大統領レオポル・セダール・サンゴール（一九〇六―二〇〇一）と出会ったのを契機に、サハラ以南アフリカ文学をドイツ語で本格的に紹介したことで知られる。『アフリカの魂を求めて』の原書はドイツ語で五八年に出版された。原書からの忠実な題名は『ムントゥ』。バントゥ系言語のうちで「人間」の単数形を意味する。ちなみに本訳書は一九七六年に出版されたが、それ以前から本書に着目していた文化人類学者の山口昌男（一九三一―二〇一三）は、「アフリカの知的可能性」（一九六七）や『アフリカの神話的世界』（岩波新書、一九七一）で本書の議論を先駆的に紹介している。

本書は、ブロニスワフ・マリノフスキー（一八八四―一九四二）が『文化変化の動態』（1945／藤井正雄訳、理想社、一九六三）で示した「文化変化」の概念、すなわち、ひとつの文化は異文化との接触をつうじて変容を遂げるという視座を出発点にしつつも、アフリカにおけるこの現象にたいして、マリノフスキーよりもいっそう積極的意義を見出した。ヤーンによれば、アフリカは西洋の植民地化を被ってきたが、この文化接触をつうじて、アフリカは支配者の文化を自分なりの仕方で積極的に取り込み、伝統を継承しながら新たな文化を形成しているのだ。

この「新《ネオ》アフリカ文化」の観点から、ヤーンは宗教、舞踊、哲学、造形、文学、音楽など可能なかぎり体系的に、アフリカからアメリカスに至る、アフリカ文化の連続体を描出しようとする。なかでも改めて着目したいのは、バントゥ哲学に示されるような世界観である。

先ほど記したように、原書の題名の「ムントゥ」は「人間」の単数形であり、これを複数にすると「バントゥ」すなわち「人々」を意味する。「ム」が「バ」となって複数化することから「ントゥ」が語幹であることが分かるわけだが、「ントゥ」とは普遍的な力を意味している。この普遍的な力が「人間」として発現すると「ムントゥ」となる。このようにバントゥの世界観では普遍的力が言葉《ノンモ》をつうじて世界に発現すると捉えられる。しかも「ムントゥ」とはノンモを統御する力のことであることから、ノンモを介して力を発現しうる存在のうちには、生者のみならず、死者や精霊もまたふくまれるのである。

この人間観に示されているように、アフリカの伝統的な思考では、死者は生者の世界に霊的力としてとどまる。この考えにおいては子孫の繁栄が決定的に重要であり、家系が途絶えないかぎり、死者は生者とともに生きつづけるのだ。

こうした考え方は一見すると馴染みにくいかもしれないが、考えてみれば日本でも、お彼岸の時期に、死者はこの世に戻ってくる。近代科学は霊魂を否定し、死を物理現象に還元して説明するが、近代科学を説明原理とする現代にあっても、埋葬という古来の儀式が決してなくならないように、死者が生者とともに在るという思想は、人間社会の存続の根幹にかかわる知恵であったのではないだろうか（この観点からすると、近年の「反出生主義」という問題提起は今日的要請から一考に値するものの、人類史の無限の過去を顧みない一種の倒錯である気もする）。

アフリカ的要素の存続については、宗教（ヴードゥー）、舞踏（ルンバ）、音楽（ブルーズ）をつうじてアフリカ的要素を存続させつつ、支配者の文化を取り込んでいく過程が描かれている。ヤーンによれば、ハイチのヴードゥーやキューバのサンテリーアはキリスト教をむしろアフリカ化した宗教であり、ルンバはアフリカの舞踏のリズムの存続であり、ブルーズの歌は情緒を作り出すノンモだ。

この広域的アフリカ系文化論で重要な概念となるのは、バントゥ哲学の四基礎概念のうちのクントゥ（様式・様態）となるのだが、この点は指摘にとどめることにして、本書の時代背景をなしていたのが、アフリカの脱植民地化運動だったことを喚起しておきたい。独立への機運が高まっていくなかで、アフリカ発の文化の重要性がアフリカ系知識人のあいだで広く共有されていた時代であり、一九四七年に創刊されたフランス語圏アフリカの文化雑誌『プレザンス・アフリケーヌ』がその中心的媒体であった時代だ。そしてこの時代のアフリカ系文化の総力的解明から、山口昌男は「アフリカの知的可能性」を野心的に提示して見せたのだった。

それとともに、訳者である黄寅秀《ファンインスー》が記した次の言葉は、何度も想起すべき肝要な事柄をふくんでいる。

私は、日本に在住する朝鮮人のひとりとしての自らの体験に照《てら》して、また、アメリカの黒人たちによって書かれたものを読む過程で、いくつかの問題について考えるところがあった。……植民地時代に強制的にこの国に連行された朝鮮人や中国人たちの場合と同じように、アメリカへ拉致されてきた奴隷たちは、彼らの文化を乗船と同時に拋棄《ほうき》したわけではなく、それどころか、自己の独自な文化を新たな環境に適応させながら、あくまでもそれらを維持し、それらに固執し続け（時間の経過とともにその形態はさまざまな程度で修正、あるいは改良され、発展させられたとはいえ)、さらにそれは、圧制者たちに対する抵抗のたたかいの精神的基盤となった。だとすれば、アフリカの文化的遺産は、彼らのつくりだしたもの――音楽、舞踏、民俗文学など――のうちに、どのような形で表現されているのだろうか。

ひとつの作品、ひとつの翻訳の成立の背景には、書き手ないし訳者のこうした実存的意図が込められている場合がある。アフリカ系の人々の歴史に触れるとき、二十世紀日本の侵略戦争による朝鮮人や中国人たちの離散を重ねあわせて読むという複眼的な読み方は、過去の恣意的忘却にもとづく愛国主義的言説に取り巻かれる現代日本社会にこそ必要だと言えないだろうか。

＊ クレオール文学は、マルティニックの作家パトリック・シャモワゾー、ラファエル・コンフィアン、ジャン・ベルナベの三人が発表したマニフェスト『クレオール礼賛』から始まる文学で、カリブ海地域の移動と混淆によって生じる複合的アイデンティティを

肯定する思想を発信する。

＊＊　ネグリチュード文学は、マルティニックの詩人エメ・セゼールとセネガルの詩人レオポル・セダール・サンゴールを中心とする運動で、黒人としてのアイデンティティに依拠する。

4 アメリカのニグロ・スピリチュアル

特別な信仰心をもたないわたしのような者にとって、宗教一般を内的に把握するのは難しい。その困難をつうじて研究上謎めいて見えていたのは、キリスト教のアメリカ諸地域での定着だ。

キリスト教の伝播を外的に捉える場合、布教活動は植民地主義と切り離しえない。北米大陸、カリブ海地域に連行された「黒人」は、主にアフリカ大陸西側の大西洋岸と内陸部を出自とする。その大半はイスラームや独自の信仰を有していた以上、宣教師はこれら異教徒に福音を伝道することを至上の目的としていた。たとえば、当時のカトリック国フランスが一六八五年に黒人法典を制定したさいには、植民地の奴隷にカトリックの洗礼を授ける必要性が記されている。

この観点を掘り下げていくと、キリスト者の「黒人」は内面の植民地化を受け入れた人々だ、と帰結されるわけだが、はたして本当にそう言い切れるのか。長らく謎だったこの問いを改めて考えるうえで、北村崇郎《たかお》『ニグロ・スピリチュアル』（みすず書房、二〇〇〇）はきわめて示唆的だった。

ニグロ・スピリチュアル（黒人霊歌）とは、北米大陸の黒人奴隷が南部のプランテーションでうたってきた、キリスト教と深いかかわりをもった宗教歌である。自分たちの苦難と神による救済をうたうその悲しみの歌は、なによりも奴隷の歌であり、隷属からの解放を願う「自由」の歌である——おお、自由よ、おお自由よ！　自由は私とともに！　奴隷にされるのなら、私は墓場に埋められて主のもとへ帰り、自由となろう。

これらの歌は、白人の目の届かないところでうたわれてきたと考えられている。たとえば、南北戦争以前から、「シャウト」と呼ばれる踊りがプランテーションで行なわれていたことが記録されている。大きな輪を作り「腕を広げて、少し腰と身体をゆするように振りながら足を引き摺《ず》るようにして、時計の針と反対の方向に」ゆっくり全員で回るそのダンスは、アフリカ文化の名残だといわれる。ニグロ・スピリチュアルの形成期には、奴隷の日常の経験がうたわれることが多かった。さらに、スピリチュアルに典型的な歌唱形式はリーダーが最初の五行をうたい、あとの三行をグループがうたうというアフリカ的なコール・アンド・レスポンス(応答形式)だ。

ジャズの演奏の場合には、声と楽器、また、楽器同士が掛け合いをこの形式で行なうが、これも応答形式である。応答形式は黒人音楽に脈々と流れるアフリカの伝統である。

本書が人類学者メルヴィル・ハースコヴィッツ『黒人の過去に関する神話』(1941)に依拠して主張するように、スピリチュアルという、北米で発展し、やがてブルーズ、ゴスペル、ジャズへと展開する音楽形式は、アフリカ文化の連続体のもとで理解することができる。その意味でニグロ・スピリチュアルは「変わりゆく同一のもの」（アミリ・バラカ）の一形式であり、自分なりに表現すれば、キリスト教的なこの歌の在り方は、黒人奴隷による支配文化の再領有化ないしは文化の再定式化なのだ。

ニグロ・スピリチュアルを文化の再定式化だと捉え直すと、北米の黒人文化におけるキリスト教は、たとえばニューオーリンズやハイチで展開したヴードゥー信仰のようなアフリカ起源の宗教と比較することができる。アフリカ的要素を色濃く引き継ぐヴードゥーもまたカトリックの影響下で独自の変容を遂げている。この意味で、アフリカから切り離されて暮らす離散民にとって重要であったのは、どのようなかたちであれ、自分たちの信仰を生き延びさせることにあった、と考えられるかもしれない。

日仏国際シンポジウム「プレザンス・アフリケーヌ」（ストラスブール大学、二〇一九年九月二十六日、二十七日）への参加は、こうした考えをさらに深める契機となった。アフリカが存在することを意味する『プレザンス・アフリケーヌ』という雑誌の役割は、同じように、宗主国の言語フランス語を身につけたアフリカ系知識人たちによる文化の再定式化の試みだった。雑誌が知識人のものであり民衆には届かないという批判や、真正なる黒人性からの逸脱といった批判は今でも繰り返されるが、これらは部分的にしか当たらない。重要であるのは、宗主国の言語でもってアフリカ文化の存在感を示すことであり、今日では、支配者の文化を「カンニバル化（食人化）」してしまうことである。

現在、フランスはアフリカ的なものをもはや知的水準で無視することができなくなった。コンゴ共和国出身の作家アラン・マバンクに次ぎ、二〇一八年度にはハイチ人作家ヤニック・ラエンズ（クレオール語読み。フランス語ではラーンス）が知の殿堂コレージュ・ド・フランスに新設された「フランス語圏諸世界講座」を担当した。さらには「アフリカ諸世界の歴史と考古学」も常設講座に設けられ、アフリカ古代史の専門家がコレージュに初めて正教授として招かれたことが話題を呼んだ。変容を被るのは、被支配者の文化だけではない。被支配者が抑圧に抗して作りあげた文化が長い時間をかけて支配者の文化すらも変容させてしまう時代にわたしたちは生きている。奴隷の歌から発展した、ジャズからヒップホップに至るポピュラー音楽が世界中を席巻しているように。アフリカの文化的勝利だと安易には言えないにせよ、人は「アフリカの存在感」をもはや過小評価しえないだろう。転じて日本ではどうか。「アフリカの存在感」を受け止めきれない当該分野の前時代的学問状況が危ぶまれる。

5

ファトゥ・ディオムの薄紫色

フランスは文化的アフリカをもはや無視できない。植民地化を被った旧フランス領アフリカ諸地域のみならず旧宗主国のフランスもまた文化変容を遂げていくからだ。カリブ海地域で発展した「トランスカルチュレーション」(オルティス)や「クレオール化」(ブラスウェイト/グリッサン)、すなわち接触をつうじた両文化の相互変容や混淆の思想は、今日のフランス社会の文化的動態の説明にふさわしい。第二世界の想像域につうじるこの観点からすれば、カリブ海のクレオール作家の活躍後、アフリカ出身の作家たちが二十一世紀のフランス語圏文学で大きな存在感を示すのは必然的だったと言えないだろうか。そして、アフリカの存在感を最初に強く示した作品は、ファトゥ・ディオム（フランス語読み。ウォロフ語ではジョム）の長篇小説『大西洋の海草のように』（2003／飛幡祐規訳、河出書房新社、二〇〇五）だったように思える。

ディオムは、セネガルのニオディオル島の漁村に一九六八年に生まれた。私生児だという理由で、祖父母のもと、村社会から除け者にされて育った彼女は、十三歳で島の外に出た。首都ダカールで大学に進学、フランス人と結婚して一九九四年、相手の故郷ストラスブールに住み始めるが二年後に離婚。ストラスブール大学で研究をつづけながら家政婦やベビーシッターの仕事をして、短篇集『国民優先』（2001）で作家デビューを果たす。『大西洋の海草のように』はディオムの初の長篇小説で、大きな商業的成功を収めるとともに、EU諸言語を中心に世界中の言語に翻訳された。

この本が広範な読者を得た理由は、フランスをはじめとするEU諸国で「社会問題」と認識されていた移民現象を主題としたことに、まずは求められるだろう。主人公のサリはファトゥ・ディオムの等身大の分身であり、作家本人のように、ニオディオル島の外に出てフランスに渡り、ストラスブールでよそ者として生きていくことを選んだ。本書はそうした女性の視点から語られる。

サリにはマーディケという弟がいる。ニオディオルの若者の楽しみといえばサッカーであり、フランスの有名クラブで活躍するセネガル人の同胞に憧れ、自分たちもやがてフランスに渡って成功を収めるのを夢見ている。マーディケもそんな一人だ。漁村ではサッカーの放映を満足に見ることが難しいため、自分の好きなチームの試合があるときには姉のサリに連絡し、姉にテレビで試合を見てもらい、その結果を教えてもらう。弟から電話があるとすぐにサリは電話をかけ直すのだが、セネガルにかけるさいの国際電話の料金が異様に高いなど、本書には西アフリカからのフランスへの移住者であればだれしもが共感しうるような挿話に溢れている。

マーディケは島の若者のフランスへの無限の憧憬を体現した存在だ。島の外に出たことがないばかりか、実際にもフランスに移住した同胞がお金を稼いで島に定期的に戻ってくる以上、島の若者にとってフランスは夢の国だ。パリのバルベス地区で暮らす男は故郷に帰るとこんなことを吹聴する。

おお、あちらの暮らしね！　そりゃもう、贅沢三昧さ！　あちらでは本当に、みんなすごい金持ちなんだ。みんな夫婦と子どもたちだけで、電気と水道完備の豪華なアパルトマンに住んでいる。四世代が同居する俺たちとはちがうんだ。

貧乏人はいない。なぜって、仕事のない人間にも国家が給料を払うからだ。その給料は、組み入れ最低所得（RMI）って呼ばれている。一日じゅうテレビの前であくびをしていても、俺たちの国でいちばん稼ぐエンジニアの収入をもらえるんだぞ！

バルベス帰りの男は向こうでわずかなお金を貯めるために極貧を耐えていることを一切語らない。

「移民」をめぐる挿話のなかでも、ムーサという青年の話は痛切だ。フランスからのスカウトマンにサッカー選手としての成功を約束され、かの地に渡るものの、人種差別に遭いながらその才能を開花させることができず、借金を背負わされた揚げ句、セネガルに強制送還され、村の除け者になって失意のうちに自殺を遂げてしまうのである。

他方で、ニオディィオル島の生活はどうだろうか。人々は貧しいながらも幸せに暮らしているのだろうか。

サリの目にはそう映らない。村の伝統と慣習は、女性にとって生きづらい。なるべく良い家に嫁ぐこと、未来の働き手となるたくさんの子（とくに男の子）を作り、料理を作ること——女性が村で期待される役割はこれらに集約される。村の除け者だったサリは、こうした役割を拒み、外に出た。

セネガルにおいてもフランスにおいてもよそ者であるという強烈な自覚があるからこそ、サリは両社会を批判することができる。サリの語りは、感情の起伏を生き生きと伝える。なかでも突出した感情は怒りであるが、彼女は怒るとき、それをストレートには表現しない。そうではなく、いつでもブラック・ユーモアで示すのだ。たとえばマーディケにこんな風に諭す場面。

移民の統合政策についていえば、サッカーのナショナルチームが最大の成功例よ。「黒人、白人、マグレバン〔北アフリカ出身のアラブ系〕、みんな同じ仲間」は世界の窓に掲げられたスローガンにすぎないわ。ベネトンの悪趣味な広告と同じで、わざとらしいレシピなのよ。「牛肉、蒸し煮、バターつき」と言っているのと同じ。〔……〕外国人はそれぞれの分野でいちばん優れている場合にのみ、受け入れられて愛されて、仲間だと誇ってもらえるのよ。

過酷な現実への皮肉り方が、本書のすぐれた魅力であり、だからこそ多くの人々の手に届いたと考えられる。最後にサリは言う。「去る」こととは、〈私〉を産む行為なのだ、と。よそ者として生きる根源的孤独の自覚が、ディオムの場合、書くことの動因になっており、だからこそ彼女はフランスとセネガルのあいだの境界にみずからを定位したところから書く。

それは色の好みにも現れている。本書で各国の国旗の色よりも薄紫色が好きなのは、「アフリカの熱い赤と、冷たいヨーロッパの青が混じり合った穏和な色」だからだとサリは述べる。

二〇一九年九月、ストラスブールのクレベール書店で彼女の新作小説『サンゴマールの霊』を手にした。表紙は薄紫色。ファトゥ・ディオムの色であり、フランスにおける文化的アフリカを表す重要な色だとも言える。

6 レザルド川再訪

「我々は彼のテクストを前に、まるで象形文字を前にしていると感じていた」――象形文字のごとく難解きわまりないテクストの著者、それはエドゥアール・グリッサンのことである。グリッサンを読んで育ったカリブ海マルティニック島の次世代の作家たちは、その文学的マニフェスト『クレオール礼讃』でこう書かなければならなかった。

二十年以上前、わたしが『クレオール礼讃』を日本語訳（一九九七）で読んだとき、一九七五年に出版されたグリッサンの小説がクレオール文学の最重要作として位置付けられていた。しかし、グリッサンから影響を受けた小説家ラファエル・コンフィアンをして「カリブ海の読者にも難解」と言わしめる小説でもある。そんな小説が二〇二〇年に『憤死』というタイトルのもと、パトリック・シャモワゾー『テキサコ』(1992／平凡社、一九九七)の訳者、星埜守之によって日本語となった。もはや事件である。国際グリッサン研究のネットワークでもその驚きはただちに分かち合われたほどだ。

『憤死』はどのような小説なのか。

訳者があとがきで述べるように、本作は、日本語で読める前二作との関連で捉えるとよい。グリッサンのマルティニック・サーガは『レザルド川』(1958)に始まり『第四世紀』(1964)へと続く。この二作は端的には、カリブ海住民に民としての集団的な意識と自覚を生み出すための叙事的物語を志向していた。

ところが『憤死』(1975)は、あたかもこの叙事的物語の試みの挫折ないし否定であるかのようである。なぜ挫折なのか。

それは独立派グリッサンにとって、一九六〇年代以降のマルティニックの状況とは、一九四六年の海外県化以降、フランス本国への同化が加速度的に進んでいく絶望的状況だったからである。作中ではグリッサンの先行世代の大詩人にして海外県化の推進者である政治家エメ・セゼール（一九一三―二〇〇八）のことは一切触れられない。しかし、カリブ海地域の独立運動にコミットし、フランス本国での長年の滞在を経て帰郷したグリッサンは、独立を真に目指さないセゼールとその政党にたいして批判的立場をとってきた。

思い起こせば、第一作『レザルド川』では、選挙は希望として描かれた。主人公とその仲間が応援するのは、たしかに一九四五年の選挙でフランス共産党候補としてマルティニック選出代議士となるセゼールと思しき人物である。そしてこの希望は島の化身レザルド川をつうじても示されていた。しかし、『憤死』では不正投票が横行し、「産業ゾーン」に囲まれたレザルド川は涸れ尽きている。『レザルド川』のときのように描くべき風景すら存在しない。本土資本のスーパー「モノマグ」が各地に進出し、人々はテレビに夢中だ。フランス式の教育にも。そこで描かれる世界は限りなくディストピアに近い。

しかし、絶望をユーモアによって表現するのが『憤死』の基調だ。この小説が暗い雰囲気をまとわないのはこの諧謔的な調子のためなのだが、そこに漂う明るさはどこか空々しい。この虚しさはどこからくるのか。

小説には一七八八年から一九七四年という時間軸が設定されている。一七八八年は逃亡奴隷として島に連れてこられたその日に逃亡した始祖ロングエ（作中では〈否定者〉と呼ばれる）の記憶と結びついている。この人物の逃亡は、西洋植民地主義と奴隷制にたいする根本的拒否の振る舞いをグリッサンの小説世界では示している。そして、この逃亡の踏み分け道＝痕跡の記憶を継承してきたのが呪術師パパ・ロングエだった。

『第四世紀』ではパパ・ロングエの記憶を継承する相手としてマチュー・ベリューズが登場した。しかし、『憤死』にはマチューも登場しなければ、パパ・ロングエもその名が言及されるさいにはすでに他界している。すなわち、『憤死』の三人の主要人物ドゥラン、メデリュス、シラシエには最初から記憶継承の回路が閉ざされている。

この三人は、集合的人称で示される〈われわれ〉の一部だと作中で言われる。

定職を持たない三人の日雇い労働者は、一七八八年の記憶を知らない。彼ら三人は〈否定者〉がかつて逃げた道を偶然歩くときも、そのことに一切気づかない。「なぜなら彼らは続きも記憶もない年月の反対側というよりも焼かれ耕されたこどものもうひとつの斜面の上、道という道が不明瞭になって水の無秩序になってしまったマングローブの実のなかに転げ落ちたからだ」。このせいで「彼ら自身どちらにせよ避けることはできなかったはずの幾多の過ちを喜んでいる」。『憤死』はこの「幾多の過ち」のなかに邁進したマルティニック社会にたいする痛烈な批判である。と同時に、この社会のなかでしか生きざるを得ない現状から、かすかな希望を見出すための困難な試みなのだ。では、パパ・ロングエに頼らずに、〈われわれ〉はいかに一七八八年を始まりとするもうひとつの記憶を再発見することができるのか。

失われた踏み分け道はやはり失われていた。

それでも三人のうちの一人メデリュスは〈否定者〉の「秘密の道」をついに見出すことになる。ときすでに遅し。メデリュスは周囲から「狂人」扱いされるのだから。真実を垣間見た者が社会から疎外されるというモチーフは次作『痕跡』（1981）に受け継がれる。

最後に述べておきたいのは、二〇二〇年の日本社会のありようは、『憤死』における一九七〇年代マルティニック社会に驚くほど似てきているということだ。凄惨な戦争の記憶は都合よく消去され、「日本万歳」という空虚な掛け声が社会の空気に染み渡っているのを感じるのは、わたしだけではあるまい。わたし自身は戦争を知らない世代だが、戦時体制とは今のように形成されていくのだと感じて空恐ろしくなる。「学問の自由」の次に奪われるのは「言論の自由」だ。黙っていてはいけない。

7 レイシズムのアメリカ

二〇二〇年五月二十五日、ミネアポリス警察の「白人」警官によって「黒人」ジョージ・フロイドが窒息死させられた事件を契機に、警察の暴力およびレイシズムにたいする抗議運動が、全米のみならず欧州にも波及している。今回の事件から抗議活動が波及した重要なきっかけは、フロイドがまったく抵抗できない状態でその肉体が動かなくなる様子を撮影した動画がソーシャル・メディアを介して拡散したことが間違いなく大きかった。

合衆国におけるレイシズムを考えるにあたり、トニ・モリスン（一九三一―二〇一九）が二〇一六年にハーバード大学で行なった講演録『「他者」の起源』

（2017／荒このみ訳、集英社新書、二〇一九）は時宜を得た書だ。

同書でモリスンが示唆するように、差別とは本質的には区別であり、自分とは異なる存在として認識していく社会化のプロセスのうちで身につける価値観に潜んでいる。それは「他者化」の論理だ。モリスンはアメリカの文学作品や農園主の記録を事例に、これが合衆国の奴隷制の歴史と切り離せない、ということを提示する。カラーに執着し、カラーでもって差別を正当化する法を制定してきたのは「白人」だった。

モリスンからボールドウィンの再来と評されるタナハシ・コーツ（一九七五生）は、文学作品を題材に考察するモリスンよりも、いっそう直裁に「黒人問題」を提起する。コーツは、『「他者」の起源』への序文で、モリスンのハーバード大学講演から二〇一七年の原書刊行までの一年間で起きたレイシズムをめぐるアメリカの国家政策の決定的変化を指摘している。すなわち二〇一六年とはバラク・オバマ政権二期目の最後の年であり、オバマが二人のアフリカン・アメリカンの司法長官に全米の警察署の調査を開始させ、「これまで長い間、瑣末な出来事として処理されていた、いわば組織的人種主義が現実のものであることを明らかにした」年だった。

警察暴力の日常性が明るみとなり、ＢＬＭ（Black Lives Matter）運動が盛り上がりを見せたのには、こうしたオバマ政権時代の調査があったという指摘は重い。そしてこの指摘を行なうコーツ自身が、警察暴力に絶えず晒される「黒人の肉体」という問題を、二〇一五年に出版され、同年の全米図書賞を受賞した大ベストセラー作『世界と僕のあいだに』（池田年穂訳、慶應義塾大学出版会、二〇一七）で生々しく描いている。

十五歳にさしかかる息子サモリに宛てた手紙という体裁で綴られるこの本は、その冒頭から、アメリカという国の民主主義が「白人のアメリカ」のそれを、そもそもこの国の「アメリカ人」とは「白人」（「自分が白人だと信じている者たち」）を指しているという現実を突きつける。アメリカという国が与える「ドリーム」とはそれを抱ける「白人」のものであり、「黒人」はそもそも法の庇護下にない。法とは、警察が職務質問の身体検査、すなわち「お前の肉体に暴力をふるおうとすることの口実」である。

連中が僕ら黒人からどれほど多くを奪ったか、僕ら黒人の肉体そのものをどうやって砂糖やタバコ、棉花や金に換えたか、それをお前は忘れちゃいけないんだよ。

息子に語るこの言葉は、カラーラインをめぐる根深い関係が奴隷制に由来することを示している。この関係は、南北戦争における南部連合の敗北とそれにともなう奴隷制廃止で終止符が打たれることはなかった。それどころか、一時期の平等化への反動として「ジム・クロウ法」が制定され、数々の私刑が行なわれ、黒人指導者が何度も暗殺され、二十一世紀になってもBLM運動が必要なほど「黒人の肉体」を警察暴力が破壊するのを可能としている。そして、著者の半生を回想する本書では、前途有望な学生だった旧友プリンス・ジョーンズが警察に殺され、その事件をジャーナリストとしてたどったことが記されている。

アメリカでは、黒人の肉体の破壊は伝統だ。それは「世襲財産」なんだよ。奴隷制を維持するには、ちょっとしたことで奴隷に対して激怒したり、手当たり次第に奴隷の肉体を損うようにしなくちゃならない。奴隷が逃亡しようとしたら、その頭を銃で川の向こうまで吹っ飛ばさなくちゃならない。奴隷を再生産するのだから「産業」と呼べるレベルの定期的な陵辱じゃなきゃならない。

アメリカに「黒人」として生まれるとは、極端に言えば、人間以下の扱いを受けるということであり、レイシズムの名のもとに、人間の尊厳はおろか、生存権すらも奪われる危険を背負うということだ。そして問題の根幹が変わらない以上、また「白人」が「白さ」の信仰を捨てない以上、二〇一七年のドナルド・トランプの大統領当選という「反動」を経て、ジョージ・フロイドの死をきっかけにB

LM運動が全米に波及した事実が二〇二〇年十一月の大統領選の民主党の勝利にやがて繋がるとしても（実際に勝利するのだが）、「黒人」が置かれた状況が真に改善されることはないだろう。コーツによれば「ひとかけらの希望」が湧いてはそれが「泡となって消えてしまう」（『「他者」の起源』）のであり、「黒人」から見たアメリカの歴史とはその繰り返しなのだ。

重要なのは、コーツやモリスンが提示するこの視点を共有することである。その重要さに比べれば、「黒人の命も大切だ」という翻訳に端を発するBLMの訳語をめぐる問いは、言葉遣いをめぐる政治的妥当性の域を出ない。

それよりもいっそう深刻なのは、現在の日本のメディアが「黒人」や「人種」を、あたかも実体として存在するかのように記述的に用いることのほうである。これは明らかな知的退行であると言えないだろうか。また、最近もNHKの番組で「黒人」のステレオタイプ的戯画化が公然と報道され批判を受けたが、こうしたステレオタイプこそ、モリスンのいうところの「他者化」の作用である。一過的批判で終えず、こうしたステレオタイプを心のなかで共有している日本社会の価値観を問い続けること——わたしたちの〈闇の奥〉を一人ひとりが検証する作業が求められる。

第Ⅱ部 境界

絶対的暴力の牢獄

絶対的暴力の牢獄――目取真俊、二〇〇〇年代の代表作『虹の鳥』（影書房）の構築する世界を、ひとまずそう形容してみる。二〇〇四年に雑誌『小説トリッパー』冬季号に掲載され、二〇〇六年六月に単行本化、二〇一七年五月に新装版が刊行された。ウミイグアナの長い指趾《しし》を大写しにした新たな表紙（セバスチャン・サルガド撮影）が美しくも寒々とした印象を与える。

物語は、一九九五年十月ごろの沖縄を舞台に二十一歳の青年カツヤの視点から語られる。四人兄弟の末っ子に生まれ、両親の仲は悪いものの、親の金回りは良い。父はコザ有数の資産家の息子であり不動産業で店を構え、軍用地料で潤っている。そのせいで二人の兄は高卒後に父の経営するアパートの管理人をして、その日暮らしの生活に明け暮れている。カツヤが信頼を寄せる姉の仁美は、基地経済に依存する家族の生き方を嫌い、九州の短大を卒業後に公務員の男と結婚して二人目の子どもをお腹に宿している。ところが、現在のカツヤは買春の斡旋に手を染めており、家族全員にそのことを隠している。

好き好んでやっているわけではない。斡旋の元締めの男の支配から、逃れられない。カツヤは、少なくとも、心底そう思っている。

元締めは比嘉という。比嘉は、カツヤの入学した中学の不良グループのリーダーであり、入学して間もないカツヤをいじめの標的にした。この男は、今日の表現でいえばサイコパスを思わせる無慈悲な人格の持ち主で、相手の心と体のうちに圧倒的恐怖を植え付けて支配する。中学時代のカツヤが経験し、今では比嘉が飼いならす女たちの身の上に起こっていることである。

カツヤの最近の生活は、比嘉がよこす女を自分のアパートに住まわせて身の回りの世話をする。女に客をとらせ、比嘉がゆすりのネタに使う証拠写真を撮影する。女たちはクスリ漬けであり、身も心もぼろぼろになれば、やがて捨てられる。こうした闇商売に手を染める輩にとって彼女たちは「金を生む生き物」だとみなされている。

物語は、小柄で、まだ少女のような顔立ちのマユにカツヤが客をとらせる場面から始まる。読者はカツヤの視点に導かれながら、マユを買った男の車がホテルに向かうと考えるが、向かう先は、カツヤのアパートだ。マユが男に指示したこの意外な行動から、物語は予想外に展開する。

マユは、これまでの女と違って、生気がない。あたかも、彼女が受けてきた想像を絶する暴力の後遺症であるかのように。ところが、そんなマユがときおり覚醒したかのように、自分の受けた残忍な暴力を相手に与え返す。そんなとき、カツヤは、マユの目の奥底に何か別の生き物がいるのを感知する。彼女の目の奥にいるのは、彼女の背中に彫られた、色鮮やかなあの刺青――ヤンバルの森に住む、あの伝説の虹の鳥なのだろうか。

『虹の鳥』は、作中で幾度も言及される、一九九五年に実際に起きた事件との関わりで語られることが多い。

事件は九月の初めに北部の町で起こっていた。小学生の少女が、三人の米兵に車で拉致され暴行を受けた。その記事を目にしたとき、カツヤは一瞬、全身の血が泡立つような感覚を覚えた。普段、米軍がらみの事件や事故の記事に接しても何も感じないのに、この事件には肉体的な不快感さえ生じるほどの怒りを覚えた。砂浜に押さえつけられ、泣き叫ぶ少女の姿が目に浮かび、覆い被さって体を動かしている米兵の脇腹を、刃渡りの長いナイフでえぐる自分の姿を思い描いた。

小学生の少女が米兵に強姦されたこの事件をきっかけにデモが起こり、八万五千人が集った十月の県民集会の様子が作中で言及されている。ここで目取真の読者が思い起こすのは、掌篇「希望」(一九九九)のことだろう。この県民集会に片隅で参加した青年が「麦藁色の毛髪」の子どもを絞め殺して森のなかに遺棄し、新聞社に犯行声明文を送りつけた、あの話である――「今オキナワに必要なのは、数千人のデモでもなければ、数万人の集会でもなく、一人のアメリカ人の幼児の死なのだ」。

この青年がつぶやく「最低な方法だけが有効なのだ」という独白は、比嘉の言葉と響きあう――「吊るしてやればいいんだよ。米兵の子どもをさらって、裸にして、五八号線のヤシの木に針金で吊るしてやればいい」「本気で米軍を叩き出そうと思うんならな」。

この「最低な方法」は『虹の鳥』でも実行に移される。それが誰にどのように行なわれるのかは本書をこれから読む読者のために明かさない。ただ、この箇所が本書で描かれる暴力の世界を沖縄の現状と重ね合わせて読み解くさいの要になるとだけ言っておこう。

ただ、そうした読み解きよりも、いっそう切実であるのは、少女暴行にたいしてカツヤが感じた「肉体的な不快感」をわたしたちも感じるか否かだ、とわたしは考える。九五年の事件だけのことではない。二〇一六年、うるま市で起きた同様の事件もそうだ。

昨年の四月に名護市出身の二〇歳の女性が殺害される事件が起こりました。四月二八日に元海兵隊員の米軍属に襲われたんですが、その日は奇しくもサンフランシスコ講和条約で沖縄が切り捨てられ、「屈辱の日」と呼ばれた日です。女性の父親は私と同じ年なわけです。同じ北部地域、同じ時代に生きてですね、どっかですれちがったこともあるはずなんですよ。彼にとって三〇代半ばでやっとできた一人娘で、その娘の最後の姿が成人式の時に見た姿なわけです。

これは、辺見庸との対談『沖縄と国家』（角川新書、二〇一七）での目取真の発言である。あなたは自分の肉体でもってこの痛みを本当に想像しているのかどうか。そうわたしたちに問いかけているのではないだろうか。

そのような想像力を働かせて読むとき、わたしたちは作中で振るわれる過酷な暴力を対岸の火事のようには感じることはできなくなるだろう。あたかも絶対的暴力の牢獄のうちに閉じ込められるかのように、読者はこの痛みを心中に刻みつけることになる。そしてこの痛みの直覚は、高江や辺野古での反基地の戦いにたしかに通じている。

2 分からなさの向こう側を想像する

今、日本社会で流通している言葉のうちに大きな変質を感じているのはおそらくわたしだけではないだろう。よく言えば、誰にでも分かりやすく、悪く言えば、薄っぺらくなっている。『余白の声』（閏月社、二〇一八）の著者、鈴木道彦が語る「言った以上は」責任をとる、というような言葉と行動の関係（『図書新聞』三三五二号参照）が顧みられなくなっているだけでなく、今日の日本社会では（あるいは世界的な傾向かもしれないが）言葉を道具のように捉える価値観が、よりいっそう強まっているように思えるのだ。

これは小説のような、言葉で作品世界を構築するジャンルにおいてすら観察できる。かつても今も、小説は出版市場との関係において成り立ってきたが、読者の減少に応じて、現代の小説家はこれまで以上に市場を意識しなければならない。何らかの賞を受賞して作家として「デビュー」し、一定の人気を確保しつづけようとすれば、当然のこととして読者の目線を強烈に意識する。大手出版社であれば、売れることがその書き手の力量の指標と捉える傾向も強いだろう。結果として、崎山多美が雑誌『越境広場』第四号（二〇一七）のある書評で述べるように「読みやすくて面白くてなんとなく分かった気にさせる文体」に流されるようになり、言葉の道具的価値観のなかで「自分がかわいいだけの書き方読み方」だけがますます有力になっているのではないか。

少し前に、崎山は花書院から二冊の小説集を刊行した。ひとつは『うんじゅが、ナサキ』（二〇一六）、いまひとつは『クジャ幻視行』（二〇一七）である。いずれも初出は雑誌『すばる』であり、『うんじゅが、ナサキ』には二〇〇六年から二〇一六年までの連作が、『クジャ幻視行』には二〇〇六年から〇八年までの連作が収録されている。崎山の作品には、「知りたくない出来事や他者のことで葛藤」

することじたいをあたかも主題とするかのような構えがある。たしかにその小説世界の深部には特徴的な物語の骨格があって、沖縄戦の記憶――とりわけ死者たちの記憶が潜み、生者である作中人物が死者の声から呼びかけられる、という死者と生者の能動／受動関係から物語が展開する。しかしながら、こういうまとめ方もまた読み手を「なんとなく分かった気にさせる」危うさがあることを急いで付け加えよう。

崎山の小説言語の特質は、その深い言語意識に裏打ちされた地の文もさることながら、まずは破天荒な会話文のほうに見出せる。会話文は、作家当人が言うところの「シマコトバ」（琉球諸島の複数の言語が混じり合った作家独自の言葉）や、シマコトバと会話の日本語を混ぜあわせたものだ。このためウチナーグチを解さない日本語話者にはただちに分からない表現がたびたび出てくる。しかし、「ヒーヤーサアサ、ハ、イヤッ、ってなもんさね人生ってやつはよ。どうゆー意味かって？　それはあんた、ヒトそれぞれで想像するしかないでしょ」と、劇団「クジャ」の女優、高江州《たかえす》マリヤが言うように、意味を確定して理解したつもりになるよりも、この分からなさの向こう側を想像することのほうがはるかに重要だ。『クジャ幻視行』は「基地のマチ」クジャを舞台にした七つの短篇からなる。そのいずれもが土地と切り離すことのできない記憶の物語をなしており、幻視されるクジャの光景は、よそ者の写真家とマチの住民(しかしいずれもよそ者)の視点から内にも外にも描かれる。地の文をたどっていくと、クジャの路地の印象的な描写とともに、社の教会、街外れの丘陵地、海岸が異界と交わるクジャの外縁として書き込まれている。

そのうちの一篇では、路地の向こうの丘陵地が舞台となる。この丘の向こうに海岸がある。この丘から海岸の手前までの上り下りの道なき道は、よそ者たちが暮らすクジャのマチにもいられなくなった人々が「逃げ込む場所」となっていた。逃げ込んだ者のほとんどが入水自殺か首吊りかの末路をたどるそのピンギヒラを、日暮れ時に独り通る、老女とおぼしき人がいる。その人ピサラ・アンガは死者たちの声を「聴くヒト」として、このピンギヒラの死者の声に呼ばれてやってきては、その声の主を召喚し、供養してきた。今回、アンガを呼ぶ声の主は「尼僧ふぜいの女」である。「目の奥に攻撃的な色」を宿したその若い女は自分が何者であるかを言わず、アンガに「思い出して」とばかり言う。呼ばれ、呼びだした相手がみずからの意思で語り始めるのを聴くことでアンガは死者たちを鎮魂してきたが、今回は、その立場があろうことか逆転してしまう。アンガは必死に思い出そうとするが……。

衝撃的な結末を迎えるこの「ピンギヒラ坂夜行」をはじめ、各篇はクジャにまつわるそれぞれの場所の記憶を不思議な物語とともに召喚する。物語はその記憶の核心を分かりやすく明かすことはない。しかし注意深い読者であれば、クジャの路地に迷い込んでしまった写真家のように、作中人物の秘められた「独り物言い」を聴き取らずにはいられないだろう。それを聴き取る覚悟が試されているのは、アンガだけではないのだ。

3 岩手県の玄冬小説

「玄冬小説」と言うらしい。人生の晩年を〈冬〉に喩えて老後の生を題材とする小説の呼称だ。二〇一七年下半期第一五八回芥川賞を受賞した若竹千佐子の本作は、この呼称を冠して売り出された。孤独な老女を主人公にした『おらおらでひとりいぐも』(河出書房新社、二〇一七)は、受賞後二十四日目にして五〇万七千部(二〇二刷)が発売されるという、異例の話題作となった。

主人公の「桃子さん」は、ビルの林立する合間から高速道路が見える郊外の住宅地の一角に暮らしている。七十歳を越しているが、体はいまだに丈夫で、満員電車に一人で乗ることもできる。街中のどこかでいつすれ違っていてもおかしくない、どこにでもいそうな桃子さんは四十年来の家に今は独居している。「亭主」に先立たれ、二人の子どもも成人して親元を離れて暮らしているからだ。

桃子さんは東北出身であり、より限定すれば、作者、若竹千佐子の生まれ育った岩手県出身だと推測される。東京オリンピックの年に家を出て東京にやってきた桃子さんは大衆割烹の店でアルバイトをする。あるとき、その店に客として入ってきたのが桃子さんの「亭主」となる周造だった。

桃子さんが周造に気を止めたのは「おらは、おらは」というその話し方だった。桃子さんもかつては自分を「おら」と言っていた。「東北弁」が桃子さんの母語であり、性差の関係ないこの一人称を用いると素《す》の自分を示すことができた。しかし小学一年生のときに初めて「標準語」の「わたし」を発声したときから「おら」に劣等感を抱き、「わたし」に憧れを抱くようになる。「わたし」と言うには「喉に魚の骨がひっかかったような違和感」があったが、それでも上京してからというもの「標準語」で思考するようになる。周造との出会いから「東北弁に素直になれた」桃子さんはやがて周造と所帯をもち、「周造の理想の女になる」ことを目指して生きることになる。

子が独り立ちをして二人で暮らすようになってからのことだ。ある日、桃子さんの生きる目的であった周造が「心筋梗塞であっけなくこの世を去った」。桃子さん五十歳代後半のころである。

この突然の死を契機に桃子さんの人生は一変する。死んだ周造に会いたいと思う。目に見えない世界の存在を信じるようになる。何にでも意味を探し、科学的なものを信じる性格だった彼女の劇的な変化だ。桃子さんは自分が知っていることなど「全部薄っぺらなもの」であることに気づく。気づいたら心中の呟きは東北弁になっていた。

もう今までの自分では信用できない。おらの思って見ながった世界がある。
そごさ、行ってみって。おら、いぐも。おらおらで、ひとりいぐも。

そしてこのときから桃子さんの心中には周造の声をはじめさまざまな声が聞こ

えるようになる。桃子さんの心中は別世界（第二世界？）に通じてしまったのだ。彼女の孤独を支えるようにして心中のさまざまな声が話しかけ、草木も雲も話しかける。

何如だっていい。もはや何如だっていい。もう迷わない。この世の流儀はおらがつぐる。

以上が本作の中核的なストーリー、より正確には、全五章からなる本作の四章分の途中までで示されるあらすじである。さらにここに母娘関係のテーマが絡み、母から娘へと「伝染る」ものがあることを三世代の母娘関係のなかで示すなど、作中ではいくつものサブテーマが複線として用意され、結末に向かって集束するという巧みな結構をとっている。

私事にわたるが、実は本作を大東文化大学外国語学部の二〇一八年度前期専門演習で取りあげた。履修者は一〇名で、当人たちの発案で各章をペアになって担当し、プレゼンを行なった。たとえば第三章を担当したCとNのペアは、桃子さんの感情の起伏を波線グラフで示し、彼女の内部に住みつく「柔毛突起」と形容される声の種類をパターン化してみせるなど、わたしには思いも寄らない見事なアプローチで分析してくれた。

そのような理由から、本作は個人的な思い出と結びつく作品となるのだが、若干の違和感が実はないわけでもない。本作がもっとも焦点化する主題は老後の孤独であり、その孤独や来たるべき死にたいしてどのような態度をもって臨むか、ということだとわたしは解している。しかし、自らの死の先の未来を、血縁でつながった家族の再生産のなかに見出してしまうとき、危険な叙情を感じてしまうのは、わたしだけだろうか。素朴な生活感情からはたしかに理解できるが、若竹千佐子が示す、人々の生死の繰り返しのなかで見出される「つながっただいじな命」は、二十一世紀的な家族関係のなかでは、血縁的なつながりのみに閉じられる必要はないだろう。「感動」を誘うだけに危険である。

もうひとつ付け加えるなら、宮澤賢治の「永訣の朝」の一文を踏まえた（これも学生に教えてもらった）その表題は、「標準語」にたいする言語的異質性をストレートに呼び起こすが、実際の文体は、たとえば崎山多美の試みと比べれば分かるように、それほど実験的ではない。若竹の多重化する混淆的ニホンゴは場面ごとに使い分けられて安定感があり、日本語を食い破るような言語意識で書かれたわけではない。暴走しがちな桃子さんの独り語りには狂気が宿るだけに、惜しいといえば惜しい。

4 文明のなかの居心地悪さ

数日前、池袋から早稲田にかけて歩いているときにふとこんな張り紙を一瞥した。

人は他者になるのではない、一生をかけて自己になるのだ。

普段は、街角で見かけるこうした宗教的教訓など気にも留めないが、歩きながらふと考え込んでしまった。

わたしは〈他者〉になることを志向する書き手に共感し、また自身もそうありたい、とひそかに願ってきた。それは変装などの外面のことではなく、内なる〈自己〉を変容させたい、という願望だ。なぜこうした考えを抱くようになったのかは分からないが、外国語を学び、西アフリカから奴隷船でカリブ海の島へと連れてこられた人々の子孫に当たる作家を本格的に研究するようになって、その想いは深まった。フランス出身の書き手では、ランボー、セガレン、サンドラール、アルトー、ブルトン、ミショー、レリス、ジュネ、ル・クレジオという旅人を今でも偏愛している。

〈自己〉の外へ、〈他者〉との邂逅へ向かった書き手たち。なかにはミシェル・レリスのようにほとんど〈他者〉に同一化するのを望んだ人物もいる。一九三一年から三三年にかけて、レリスはダカール＝ジブチ、アフリカ横断調査団に書記兼記録係として同行した。レリスはそのときの記録を個人的な日記というかたちで書きつづけた。『幻のアフリカ』（1934／岡谷公二他訳、平凡社ライブラリー、二〇一〇）と題されて出版されるその書が、この調査団の「公的記録」となる。たとえば、レリスはエチオピアでザール信仰の女性たちを調査するさなか、こう書いている――「私は憑かれた人々を研究するよりも憑かれたいのだ」。

レリスの親友である民族学者アルフレッド・メトロー（一九〇二―六三）もまた〈自己〉を強烈に否定して〈他者〉になろうとした人物だった。そのことを良く教えてくれるのが、岡谷公二による長篇評論「引き裂かれた旅人――民族学者アルフレッド・メトローの場合」だ。本論は『新潮』二〇〇四年七月号に掲載され、岡谷の集大成的著作『島／南の精神誌』（人文書院、二〇一六）に収められている。

メトローは、『イースター島』（1941）や『ハイチのヴードゥー』（1958）をはじめとする優れた民族誌を刊行した。国連とユネスコで働いたのち、パリの高等研究院第六部門（当時）の教授を歴任。いわゆる地位も名誉も手に入れた人物であるが、六三年、突然の自殺を遂げる。岡谷は、この自殺に至る道程のうちに、自殺未遂経験もあるレリスとメトローに共通する気質を読みとる。

それは二人がフランス生まれの民族学者であること、岡谷の言葉を借りれば、アルチュール・ランボー以来の「西欧文明の自己否定」の系譜に連なる人物であったからだ。しかし、彼らはアフリカに出立して二度とフランスに帰ることのなかったランボーとは違った。レリスもメトローも、もとの場所、否定した〈自己〉へと回帰せざるをえなかったからだ。これが根源的な懊悩となったのではないか。そう岡谷は洞察する。

とはいえ、岡谷の力点は、メトローのたどった一見悲劇的な結末よりも、「人はどのようして民族学者になるのか」という初発の問いのほうにある。岡谷が引くメトローの次の発言は、わたしにはなによりも印象深い。

大方の民族学者、とくにフィールドで仕事をする人たちは、自分自身の属する文明の中で居心地の悪さを感じている、なんらかの意味での反抗者、不安な人たちです。

この言葉は、当時の民族学者に限らず、越境を求めるままに誘われやすい人々の気質を見事に言い当てているように思える。「自分自身の属する文明」のなかで感じる「居心地の悪さ」が、異なる場所への接近、異なる文化との接触、すなわち〈他者〉との邂逅に人を導くのではないだろうか。もちろん、そうした気質を有するだれしもが、レリスやメトローのように極点にまで赴くわけではないとしても。

レリスはメトローの『ハイチのヴードゥー』に序文を寄せている。レリスは序文を締めくくるにあたり、メトローがなぜ憑依型の宗教として知られるヴードゥーの研究に適任だったのか、ということに触れる。

アルフレッド・メトローを知った人々は、みな私と同様、学者としても人間としても、彼が別してこの研究を行なうのに適していたと考えるであろう。日常の平俗の壁から逃れたいという激しい欲求に自身とり憑かれていただけに、彼は、研究対象である憑かれた人々に、余人より一層の理解を持っていたからである。

日常のなかの居心地の悪さが〈他者〉に向かわせる。その極限的な例がメトローであるとはいえ、実は、このことはわたしたちが日々のなかで経験していることだ。恋愛や、読書や、映像体験などがわたしたちを別の場所に誘うように。

問題は、〈自己〉が揺さぶられ、変容するかどうか、ではないだろうか。

その経験を自覚し、みずからの中心に据えたとき、人は「民族学者」になるのかもしれない。

5 アパルトヘイト終焉期を撮る

新型コロナウイルスの世界的蔓延のもと、アメリカ合衆国で再燃したブラック・ライヴズ・マター運動の人種差別撤廃を求める声に世界各地の人々が共鳴する。そのような今日、南アフリカの悪名高い人種隔離政策アパルトヘイトは、何よりも想起されるべき近過去だ。南アの構造的差別の日常を人々はどのように生きたのか。

アパルトヘイトの終焉期と言える一九九二年から九四年にかけて現地で撮影しつづけた写真家、前田春人による『闘争の時代――ドキュメント南アフリカ1992-1994』（二〇二一）が、このたび満を侍して刊行された。版元は、牛腸《ごちょう》茂雄の名作『SELF AND OTHERS』に始まり、近年では沖縄写真家シリーズ〈琉球列像〉（全九巻）や長倉洋海のボックスセットなど、記録と記憶を重視する写真集を刊行してきた未來社である。

イギリスとの対抗関係のなかで成立した南ア連邦（一九一〇）以降、この国は、少数派集団である白人が人種概念に依拠した統治を行ない、一九四八年には人種差別を政府方針にするに至った。白人政権がさまざまな法律でもって人種隔離を徹底していくなか、武力闘争も辞さずに抗戦したのがネルソン・マンデラ率いるアフリカ民族会議、通称ANCだ。その後、二十七年間におよぶ獄中生活を送ったマンデラは一九九〇年に釈放。前田が現地で撮影した時期は、アパルトヘイト廃絶の世界的支持も後押しして、南アにおける体制転換が徐々に準備されていく時代だった、とおおまかには言えるだろう。

『闘争の時代』と題された本作は、アパルトヘイト体制下の〈日常〉と〈出来事〉を見事に捉える。「ジョハネスバーグ」「スクォッター・キャンプ」「出稼ぎ労働者」「政治抗争」の全四章から構成されており、全体のおよそ三分の二を占めるのは、南アの庶民の〈日常〉を映し出した写真だ。

それらの写真が、なによりも見事なのだ。犯罪多発都市として知られるジョハネスバーグを舞台とする第一章では、街角の人々の顔に注目したい。デモ行進という〈出来事〉に参加する人々は張り詰めた表情をしている。これにたいし、街角の子どもたち、ダンサーの女の子、路上で物売りをする夫婦の顔はとても優しい。人々のきらきらとした目に吸い込まれる。

第二章は、黒人居住区として割り当てられた地域から出て「不法」に家屋を作って集住するスクォッター・キャンプの人々の〈日常〉を映している。貧しいなかでもおしゃれをする男女、屋外で談話する若い人々、家族やカップルの数多くのポートレイト。人々の晴れやかな表情が眩しい。マリの職業写真家セイドゥ・ケイタ（一九二一―二〇〇一）やマリック・シディベ（一九三六―二〇一六）の肖像写真を彷彿とさせるこの章と、出稼ぎ労働者の女性たちを主に収めた第三章は、〈出来事〉の写真とはまた異なる魅力を放っている。わたしたちはここに南アの普通の人々の生の断片的記録を見出すことができるのだ。

このような被写体との関係を築ける前田春人とは、そもそもどのような写真家なのか。本書の略歴によれば、報道写真家の樋口健二に師事し、二〇〇三年、『Quiet Life』（青幻舎）で日本写真協会新人賞を受賞した。本人のウェブサイトを訪れてみて、『Quiet Life』がアパルトヘイトによって故郷を追われた人々が住む村を撮影した写真集であるのを知った。さらに写真学校に通っていた頃に築地の朝市を習作に撮影したという一九九〇年から九一年の十数枚のイメージを見て、そこに映し出される人々の表情に温もりを、懐かしさを感じた。二〇一九年七月刊の『水田』（赤々舎）も気になるところだ。

本書に戻れば、『闘争の時代』というタイトルに相応しいのが、最後の章「政治抗争」である。冒頭のリード文によれば、一九九〇年から九四年にかけて、南アでは一万六千人以上の人々が政治抗争や白人右翼による爆弾テロによって命を落としている。抗争事件のほうは、黒人政党インカタ自由党の支持者たちが白人右翼の武装支援を受けながら、ANCにたいするテロを仕掛け、ANC側もまた報復テロを行なった。暴力の連鎖が止まらなかった時代でもあったのだ。とくに緊張感が高まったのは九三年四月十日、「白人右翼の放った刺客によって、ANCの武装組織ウムコント・ウェ・シズウェ（民族の槍）の司令官で、民衆から人気の高かったクリス・ハニが自宅前で射殺された」事件である。この事件によりあわや内戦か、という危機が訪れるもののANC議長マンデラによる必死の説得でどうにか避けられたのだった。

第四章は、こうした抗争の場面からマンデラが大統領となるまでを記録している。政治史や社会史の観点からは、〈出来事〉に焦点化したこの章がもっとも際立つ。そこには、棒や杖をもった人々の怒りの表情、軍隊の姿、焼き討ちにあった家、片足のないうつ伏せの死体をはじめとした数々の死体、さまざまな場面で撮影された棺、復讐ではなく和平を呼びかけるマンデラの演説、元ANC議長オリバー・タンボの追悼式がページを繰るごとに目に飛び込んでくる。

写真をつうじて痛みと悲しみを追体験する読者は、最後に、人々の笑顔に再び出会うことになる。通りに出る無数の人々。群衆の喜びが伝わってくる。そう、マンデラだ、わたしたちのマンデラが自分たちのところに訪れにきたのだ。そうした喜びと希望が、投票の場面をたぐりよせ、最後のあの一枚につながる。マンデラの一九九四年の大統領就任式を祝う群衆の写真だ。厳選された二三九枚の最後を飾る感動的な一枚だ。

本書は差別撤廃運動の勝利の記録である。しかし、その勝利は長い年月と人々の犠牲の上に成り立っているのを忘れてはならない。二〇二〇年、世界的なうねりを見せたBLM運動が問題視するのは、数百年におよぶ差別の構造だ。劇的な転換となるのか、漸進的な変化となるのか。いずれにせよ、変えていくのは人々、敗北に次ぐ敗北にも諦めない人々にほかならない。

6 テロルという戦場

二〇一九年三月六日。この日の朝、わたしはパリのホテルにいた。滞在中の習慣となっていたテレビの報道番組をつけると、ただならぬ光景が映し出された。十六度目（三月二日）の「黄色いベスト」運動ではない。刑務所の前で車が炎上し、付近で男たちがたむろしている場面だった。

繰り返される報道で事態が少しずつ掴めてきた。コンデ＝シュル＝サルト刑務所（ノルマンディー地方アルソン付近）で前日「事件」が発生した。同刑務所に収監されていたミカエル・キオロ（当時二十七歳、サン＝タヴォル出身）が所内で二人の監視人を殺害したのだった。フランスで安全性の高い監獄のひとつといわれる同刑務所で起きたこの「事件」にたいし、監視人が所内の安全性を求めて起こしたストライキが、わたしが観た映像だった。同種のストライキは国内十八の刑務所で行なわれた。

なぜ襲撃できたのか。所内には最大七十二時間まで家族と過ごせる「家庭生活区域」があり、キオロは申請をして妻アナヌ・アブラナ（当時三十四歳、ミュルーズ出身）とこの区域内の部屋にいた。アブラナは妊娠している様子でお腹が大きかった。五日の朝九時四十五分ごろ、キオロは妻の容態が悪くなったとして監視人を呼び出し、「神は偉大なり」と声をあげてセラミック製ナイフを凶器にして襲った。ナイフは共犯者の彼女が妊娠を装って持ち込んだと疑われている。金属製でなければ探知器にはひっかからず、身体検査は人権の観点から相手の同意がなければできないことになっている。

襲撃後、二人は部屋に立てこもるが、治安部隊の銃撃によりアブラナは死亡し（みずから治安部隊に飛びかかったとされる）、キオロは顔と腹部を負傷して病院に搬送された。危篤状態にあるという。

この事件の数カ月前、銃で武装した「ジハーディスト」シェリフ・シェカット(二十九歳、ストラスブール出身)が、十二月十一日、ストラスブールの夜のクリスマス市で「無差別テロ」を決行した。この襲撃の数日後に警察に発見され射殺されるシェカットは、イスラム国に忠誠を誓った「兵士」であり、フランス当局の監視下にあった。

キオロは犯行に際してシェカットの敵討ちだと述べたという。キオロはかつてシェカットと同じ刑務所に一七五日間拘束されていたことがあり、手紙のやり取りをつうじて、「ラディカル化」つまりはジハーディストへ転身したと言われている。キオロもまた同様に要注意人物として監視されていた。

わたしはこの報道に接してフランスにもってきていた陣野俊史の小説『泥海』(河出書房新社、二〇一八)の続きがすぐに読みたくなった。本作は二〇一五年一月七日に起きたシャルリ・エブド襲撃事件を題材にしている。三章構成であり、第一章では首謀者クアシ兄弟が「事件」を起こすまでの内的過程、第二章は犯行後に兄弟が逃げ込む印刷所での一部始終、第三章は長崎出身の若者がパリの事件現場に赴くことになった動機とシャルリ・エブド襲撃事件のその後を書いている。小説であるとはいえ、著者はルポルタージュ的性質もこの物語にもたせようとしており、第一章にはとくにその傾向を感じる。この意味では本作はフランス側の報道の視点からは抜け落ちがちな、この「事件」がいかに起こされたのか、クアシ兄弟とはいったい誰だったのか、という想像力をつうじてしかたどり着くことのできない個的な視点で描かれている。そしてこの点は、著者が敬愛し、『テロルの伝説』(河出書房新社、二〇一六)という読み応えのある評伝を捧げた桐山襲《かさね》(一九四九―一九九二)が、歴史の敗者たちによる「テロリズム」を繰り返し題材にして書いてきたことをおのずと想起させる。

フランス国内のジハードと日本の左派運動における武力主義では、国家の視点からは反体制の「過激派」とくくられるとはいえ、その行為を支える思想はあまりにちがいすぎる。だからこそ何がどうちがうのか。まずはその内面を想像してみる。『泥海』におけるクアシ兄弟がラディカル化する契機は、やはり刑務所内にある。所内で出会ったジャメルという男が「光の兵士」となるよう弟のシェリフを導く。その後、シェリフはイッザナと宗教上の結婚を果たし、二人は『光の兵士たち』と題された著作をあたかも啓示のように受けとる。それは「いま世界中で人類の敵と見なされている人々が、いったい何を考え、何を感じているのかを知ること」を伝える本だ。著者の注記によればジハーディストのＨＰに全文掲出されており、本作でも『光の兵士たち』の一部が訳出、紹介されている。

『泥海』の第一章を読み、シェリフとその妻がラディカル化する過程に、ちょうど報じられたばかりのミカエル・キオロとアナヌ・アブラナの姿が重なった。二人も同じく宗教的信条から結婚し、今回の犯行を共同で行なうまでに結ばれていた。正直なところ、今のわたしには想像が及ばない。確かなのは、「光の兵士」にとってそこはいつでも戦場であるということだ。彼・彼女が突きつけるのは、わたしたちの住む場所はどこであれ戦場とつながっているだけでなく、戦場となりうるのだ、という認識なのではないだろうか。『泥海』は、わたしたちの視界からは不明瞭な今日の世界の突端を捉えようとする「テロル」の冒険なのである。

7 ディストピア小説に映し出される近未来

地球温暖化にともなう気候変動や環境破壊、経済停滞が引き起こす貧富の圧倒的格差、世界中の難民、虚言が蔓延する政界・メディア、ITテクノロジーによる人間存在のデジタル情報化、加速する管理社会化、パンデミックの長期化による人心の疲弊、排外主義的愛国主義とヘイト・スピーチ……。こうした暗い時代であるからこそ、作家の想像力もまたディストピアに向かって発揮される。

念頭にあるのは、二〇二〇年に刊行された二つの小説だ。

ひとつは、桐野夏生の『日没』（岩波書店）。本書の核心の問いは、小説家当人にとってのディストピアとは何か、だと言える。改めて言うまでもないが、小説家の仕事とは、実社会を参照項にしながら想像力を膨らませて物語を作り出すことにある。そうして紡ぎ出される物語は千種万様だが、純文学系にせよ、エンタメ系にせよ、読まれることなくしては始まらない。なかには人間の本性を描くことを目的とした作家もいるだろう。本書の語り手であるマッツ夢井のように、暴力、性愛、残酷といった非倫理的なものをあえて描き、ファンを得る小説家もいる。

そうした小説家にとって恐るべき事態とは何か。想定されるのは、書く場を奪われることだ。これまで一定の人気のあったマッツ夢井のような作家が、ある日、自作を一切発表できなくなる。これは恐ろしいはずだ。

では、そのような絶望はどのように訪れるのだろうか。

表現の自由が奪われるのは、十分に予想される。政権批判が事実上できない言論統制国家は現に存在するし、焚書や禁書は、歴史上、枚挙にいとまがない。ある表現が差別的であるとか、非倫理的だという思想統制が働ければ、マッツ夢井のような作家は、ただちに当局によって目をつけられるだろう。

上からの圧力ばかりではない。読者が告発したり、読者が批判したりするケースも出てくる。極端なケースでは、天皇を殺害するフィクションが右派による実力行使を招いた事件（風流夢譚事件）が戦後日本社会では起きているし、ネット空間が日常生活と一体化してしまった現代にあっては、「リアル」を売りにしたテレビ番組のなかでの女性の言動までもがターゲットになる。その言動が気に食わないと感じた視聴者が誹謗中傷をＳＮＳにこぞって書き込み、その女性を自殺に追い込んだこともあった。

『日没』のなかで作家から表現の自由を奪う根拠となるもまた、他ならぬ読者からの投稿だ。ヘイトを批判するためにヘイトを作中に書いたことで「差別的」だと批判され、自殺に追い込まれる作家まで登場する。総務省文化局・文化文芸倫理向上委員会、通称「ブンリン」の施設に軟禁されたマッツ夢井が、思想矯正を担当する施設所長、多田と対話する次の場面が印象的だ（以下、会話部分だけを引用する）。

「よく言うね。あんたはクソ作家じゃないのか。えっ、マッツ先生？　あんたの書いたコンテンツなんて、ろくでもないじゃないか。だから、読者からクレームがくるんだよ」

「コンテンツじゃない、作品だ。私が血と汗と涙で書いた作品だ。それをコンテンツだなんて呼ぶな。あんたらは、所詮コンテンツだから、あれは駄目だ、これは駄目だって言えると思ってるんだろう。そんなの間違っているよ。誰かが書いた作品に軽重もないし、良し悪しもない。勝手に差別するんじゃないよ」

「何を言ってる。自由には制限があるんだ。何でもいいなんてことはない。それが社会の常識じゃないか」

「つまらん理屈を言うな。作品は自由だよ。人間の心の中は自由だからだ。何を表現してもいいはずだ。国家権力がそれを禁じてはいけない。それをやったら検閲だ、ファシズムだ」

「じゃ、ヘイトスピーチはどうなんだ。やりたきゃ自由にやれよ。できないだろう。同じように、作品だって差別や異常な性癖は書いちゃいけないんだよ」
「前に言ったじゃないの、多田さん。ヘイトは作品ではない。私が言っているのは、作家が責任を持って表す作品のことだよ。虚構のことだよ。虚構はいろんな人間を描く。その中には差別的な人間もいれば、そうでない人間もいる。だって、それが人間社会じゃない。ありとあらゆる人の苦しみを描くのが小説なんだから、綺麗事だけじゃないよ。差別が目的のヘイトスピーチと混同するなって」

わたしの念頭にあるもうひとつの小説、李龍徳《い・よんどく》の『あなたが私を竹槍で突き殺す前に』（河出書房新社）は、『日没』のように、部分を全体と取り違える、「道徳的」な読者が「正しい」とされるディストピア世界では、「反日小説」だとして、まっさきに焚書に追い込まれるだろう。現に、本書にたいする通販サイト上の消費者によるレビューには、在日韓国人三世である著者の作品に「反日感情」が描かれているというただそれだけの理由で、この力作を全否定する記述すら見られる。しかも、そうした愛国主義的反応こそが、本作の登場人物たちを窮地に追い込んできたという設定を、よりいっそうリアルにしている。『あなたが私を竹槍で突き殺す前に』という、その衝撃的タイトルが示すように、この物語は在日コリアンにとってのディストピアを描いている。実社会では「在日特権を許さない市民の会」(在特会)がコリアンタウンや朝鮮学校をヘイト・スピーチによって襲撃するという事件が起きたが、本作では、こうした排外主義者が大手を振って歩ける社会となり、ヘイト・スピーチ、ヘイト・クライムも行ない放題、世論調査では日本人の九割が嫌韓感情を抱き、在日コリアンは数々の法的制限を受けている。

本書は多分に毒を含んでいる。登場人物はいずれも極端に造形されており、誰かに自己を投影するのは難しい。とはいえ、群像劇として展開するストーリーは、桐野夏生の小説のようにスリリングで、読者を引き込んでいく。本書の中心人物である在日三世の柏木太一は、こうした日本社会にたいして報復行動に出るためのある計画を温めており、そのために必要なキャストを集めていくというのがおおまかな筋立てだ。小説終盤で実行に移されるその計画は、太一を操るその妻、柏木葵が発案したものだ。サイコパス的思考の体現者である柏木葵が狙うのは、日本の大衆にショックを与える、ということだ。その結末は当然ここでは明かせないが、本書の凄みは、その思想劇にある、とだけは言っておきたい。登場人物はあるイデオロギーを体現している場合が多く、そのイデオロギーの究極的暴力を体現するのが、柏木葵だ。彼女の悪意は、この世界の傍観者を強いられる読者もまた「大衆」として捉えている。わたしたちもまた大衆としてショックを与えられるのだ。その計画を実行する柏木太一の次の言葉は、しかし、端的にこの世界の現状認識を少数者の視点で示している。

「俺たちは結局、俺たちのような少数派のために、虐《しいた》げられるようにできている者たちのために戦うんだ。だとすれば、あとは戦略と戦術だけ」
「他の国がもっとひどいからって、だからって日本の現状を見逃していいわけない。日本の現状だって、飼い馴《な》らされて気づいてないかもしれないけど、いや、かなりのディストピアだから。何も明確なジェノサイドや強制収容所の再来だけがディストピアじゃない。ディストピアは今だ。要するに、やっぱり人類は歴史から学んだんだな。この、じわじわとした、言い訳と詭弁《きべん》ばっかりの、誰も責任を取らなくていいような、毒ガスではなくただ憎悪を募らせて空気を悪くし、マイノリティを窒息させるこの締め出し方こそ、奴らの学んだ新しいクレンジング方法だ。俺たちは騙されない。そこの知恵比べに負けはしないさ」

皮肉であるのは、こうして実行に移される恐るべき計画すらも、ときの政治情勢と大衆の移り変わりに呑み込まれていくことだ。『日没』と『あなたが私を竹槍で突き殺す前に』――いずれも救いがたい結末を準備したこの二作がわたしたちに授ける重要な教訓とは、ディストピアを虚構のなかで食い止めておくことではないだろうか。この負の想像力を現実に凌駕させてはならない。

第Ⅲ部 生

ジャン・ベルナベ（一九四二―二〇一七）

ジャン・ベルナベの名前は、日本語圏では一冊の著作と分かちがたく結びついている。『クレオール礼賛』（1989／恒川邦夫訳、平凡社、一九九七）という、マルティニック島出身の作家たちの文学宣言の書だ。

今福龍太の『クレオール主義』（一九九一）を筆頭に、カリブ海発「クレオール」の思想がこの邦でも紹介され、一九九〇年代にカリブ海のフランス語圏の島々の文学が脚光を浴びた。パトリック・シャモワゾー『テキサコ』（1992／星埜守之訳、平凡社、一九九七）、ラファエル・コンフィアン『コーヒーの水』（1991／塚本昌則訳、紀伊國屋書店、一九九九）、マリーズ・コンデ『生命の樹』（1987／管啓次郎訳、平凡社、一九九八）などの作品が次々と訳されるなか、本書は、「クレオール」を、文化の根本的な混淆性と複数性を示すコンセプトとして打ち出した。

それは、なにより、強制移送と奴隷制という負の過去を背負うカリブ海住民の自己肯定のための言葉だったが、日本の植民地主義を含めたポストコロニアルの文脈のなかで、国民国家に囲い込まれた文化の本質性や単一性の幻想を打ち破る概念として、また、〈故郷〉を喪失した人々の経験を救い出すかもしれない言葉として、注目を浴びたのだった。

ジャン・ベルナベは、シャモワゾーやコンフィアンとともに「クレオール」の作家でもあるが、なにより言語学者だった。一九四二年、マルティニックの北東部で生まれ、彼の世代のなかでは抜きん出た秀才として、フランス語と古典語を中等・高等教育機関で教えることができる「文法の教授資格者」になった。しかし、学者として彼が選んだ研究対象は、ギリシア語でもラテン語でもなく、クレオール語だった。

マルティニック島の公的にして権威的な言語はフランス語である。それにたいしてクレオール語は、元奴隷がしゃべる俚言だと長らく見なされてきた。しかしベルナベは、クレオール語こそが自分たちの母語にして「国語」であるという認識から、書き言葉を整備し、クレオール語にたいする偏見を打破してフランス語を相対化しようとしたのだった。

一九八二年には、マルティニック島とグアドループ島のクレオール語文法を比較した言語学の博士論文を執筆し、『フォンダル・ナタル』(1983)という全三巻の研究書を出版した。アンティル・ギアナ大学(現在はアンティル大学)を拠点とし、クレオール語の共同研究グループ「GEREC(ジェレック)」のリーダーとして、言語学と教育の分野を率先して切り拓いていった。

そのジャン・ベルナベが、二〇一七年四月十二日に亡くなった。

ベルナベは、カリブ海研究を志すわたしにとっての先生だった。二〇〇九年、マルティニック島に約一年研究滞在したとき、ベルナベ先生は、受け入れ教員を快く引き受けてくださった。温厚で、礼節を重んじる方だった。しかし、そんな先生が一度、激しい怒りを示したことがある。

二〇〇九年十二月のある日の夜、筆者の友人でカリブ海作家のフランス語作品のクレオール語訳を手がけるロドルフ・エティエンヌが、エメ・セゼールとクレオール語についての発表を行なった。三部構成のその発表は、クレオール語をめぐる歴史の概観、『クレオール礼賛』派によるセゼール批判とその論点の紹介、セゼールとクレオール語の関係の再評価からなった。『クレオール礼賛』派の見解では、セゼールはクレオール語にたいして完全に否定的だった。しかし、ロドルフはこの主張に異議を唱え、セゼール主義者やセゼールの発言などを示しながら、セゼールがクレオール語について肯定的にも考えていたのだ、と主張したのである。

ベルナベ先生が質問をした。しかし、それは質問ではなく、怒りそのものだった。ベルナベ先生は怒りで体を震わせながら激しい調子で話し始めた。

「講演者さん、ご発表は完全に破綻している。論証から何から何までむちゃくちゃです。結局、あなたはフランス語びいきなのですね……。フランス語はここでは植民者の言語です。クレオール語で通じ合うですって？　そんなのは理想論です。××島でクレオール語が話されていると言ってましたが、その島ではクレオール語によって社会が成り立っていないじゃないですか……。セゼールがクレオール語に肯定的ですって？　あなたが引用しているのはセゼールの言葉尻だけです。実際はまったく違います。セゼールは最初から最後までクレオール語を否定していた。いいですか、クレオール語にたいする考えをここまで変えてきたのは、私たちなのです。セゼールの時代には、そんなことは無理だった。私たちの時代になって、ソシュール言語学、構造主義の流れのなかでようやくクレオール語の研究ができるようになったのです。私たちの時代にとっては言語学こそが重要だったのです……。講演者さんは「クレオール性はネグリチュードの一部《デパルトマン》にすぎない」というセゼールの発言を引かれましたが、まったく違う。逆です。「ネグリチュードの方がクレオール性の一部」なのです。私たちは、インド、アフリカ、アジアといったさまざまな要素から構成されているのですから。セゼールが「一部《デパルトマン》」などという言葉を使うのは、*「（海外）県《デパルトマン》」をひいきしているからですよ……。あなたの話はデマゴギーです……」

ベルナベ先生のこの発言以来、わたしのなかで「クレオール」がざらついたものとなった。マルティニックに来るまで、「クレオール」にどこか楽観的で理想主義的だというイメージを抱いていた。しかし実際のところ、この言葉は、島の文化状況にコミットメントするさいの政治的態度と切り離せないのだった。ジャン・ベルナベを思い出すことは、そうした、ざらついた「クレオール」の感触を忘れないことである。

＊　ベルナベ先生の発言には次のような背景がある。セゼールはネグリチュードの詩人として知られる一方、マルティニック選出のフランス国民議会議員として、一九四六年にマルティニックをはじめとする植民地を「県《デパルトマン》」に昇格させる法案を政府に承認させた。しかし、県となったマルティニックは、フランス本土から差別される地位に置かれることとなる。「クレオール」の作家たちは、このセゼールの選択を批判しつづけてきたのである。

2 パスカル・カザノヴァ……………(一九五九―二〇一八)

二〇一八年九月二十九日、フランスの文芸批評家パスカル・カザノヴァが五十九歳で亡くなった。彼女の代表作『世界文学空間』(1999／岩切正一郎訳、藤原書店、二〇〇二)は、ピエール・ブルデュー(一九三〇―二〇〇二)を主査とする一九九七年の博士論文にもとづいている。九九年の出版後、フランスの文学者協会評論大賞を受賞し、スペイン語、ポルトガル語、英語などに翻訳された。本書は、岩切の見事な訳業により二〇〇二年に早くも藤原書店より刊行されている。『世界文学空間』は、ヨーロッパ、とくにパリを中心とする「世界文学の構造」の形成とその効果を論じた書だ。カザノヴァは、ベネディクト・アンダーソンの

『想像の共同体』（1983／白石隆＋白石さや訳、書籍工房早山、二〇〇七）に依拠しつつ、文学が根本的に言語現象であることから、世界文学空間の生成の発端に、ラテン語にたいする「俗語」の闘争を見る。

周知のとおり、フランス語、イタリア語、スペイン語といった諸言語は口語ラテン語から派生した「俗語」である。カサノヴァによれば、教養の言語の地位を長らく独占してきた書記ラテン語にたいして「俗語」の権威化を最初にはかり、これに成功したのはフランス語であり、その嚆矢がデュ・ベレー（一五二二頃―六〇）の『フランス語の擁護と顕揚』（一五四九）である。

この後、フランス語がヨーロッパの言語的覇権を握る時期が長くつづくものの、十八世紀末から十九世紀にかけて、世界文学空間の第二段階に入っていく。この時期に起きたのは、カザノヴァの言うところの「ヘルダー革命」であり、『言語起源論』（1772／宮谷尚実訳、講談社学術文庫、二〇一七）などで知られるヨハン・ゴットフリート・ヘルダー（一七四四―一八〇三）の理論によって、言語と国民が一致するという言語ナショナリズムの発想が生まれ、「国民文学」が形成されていく。ちなみに「ヘルダー革命」は、言語学の進展と諸言語の辞書編纂をつうじて十九世紀ヨーロッパでナショナリズムが高揚していったと捉えるアンダーソンの「言語学・辞書編纂革命」に対応する。

世界文学空間の第三段階は、第二次世界大戦後、脱植民地化の過程で顕著に示される。つまり新興独立諸国が自国の文学を形成する過程は、十九世紀ヨーロッパの「ヘルダー革命」の延長線上にあるということである。

以上は、想像の共同体論を踏まえたうえに、フランス語の共和主義にたいするドイツ型言語ナショナリズムの勝利という、アラン・フィンケルクロートの『思考の敗北』（1987／西谷修訳、河出書房新社、一九八八）の議論をも彷彿とさせる史的段階論である。しかし本書の本領は、わたしの見るところ、第二次世界大戦後に国際的な世界文学空間が確立したことから生じる文学の不平等構造を論じたところにある。

カザノヴァによれば、ヨーロッパの文学空間は、古い言語的・文学的蓄積を有している。この言語的・文学的蓄積のことを、ブルデューの文化資本を応用して「文学資本」と呼ぶ。ヨーロッパは文学資本の蓄積を有する一方、ヨーロッパ以外の新興独立諸国では文学資本を欠いている。そもそも有力なヨーロッパ諸言語以外の言語の場合には、この国際的世界文学空間に参入することが難しい。また宗主国の言語で文学活動を行なう旧植民地のフランス語作家は、フランス本土のフランス語作家よりも文学資本の活用において最初から不利である。すなわち、国際的な世界文学空間は、最初から中心と周辺の関係を前提とする不平等構造（ウォーラーステイン）をそなえて確立した、ということであり、この世界文学システムの成り立ちは、植民地主義や帝国主義に代表されるヨーロッパによる「世界」支配を背景にしてきた。

ところが、この不平等構造はこれまで明確な仕方で提示されないままできた。なぜか。それは、カザノヴァによれば、パリが二十世紀において国民文学の単位を超えた、一種の普遍主義的な「文学場」として機能してきたことにかかわっている。文学資本が十分に蓄積される場所では文学はあたかも自律的な空間のように存在するようになるのだが、その特権的な国際舞台がパリなのだという。自律的な空間を形成した文学は、もともとの政治的起源を隠蔽し、最初から普遍的なものであったかのような姿で立ち現れる。こうした文学空間の自律化にともなう普遍主義化が、世界文学空間の構造的不平等を隠蔽することを可能にしてきた。こうして英語やフランス語といった有力言語の文化資本の蓄積を背景に書かれる首都／本国の文学作品は、他地域の文学作品よりも基本的には優れたものとして、聖別化されてきたのである。

カザノヴァは、上記の見取り図のもと、この世界文学空間に参入する植民地出身やマイナー言語の作家たちの側の、小さな文学の闘いに焦点を当てる。なかでも彼女が着目するのは、英語やフランス語といった大言語の文学資本をみずから領有する作家たちだ。つねに有力言語が勝ちつづけるこの不平等な世界文学空間のなかで唯一亀裂を入れることのできる作家たちの抵抗と戦略は、大言語の文学資本を活用しつつ、その大言語のうちで独自の文学言語を発明することなのだ。ベケット研究を出発点とするカザノヴァらしい考え方だ。

カザノヴァの世界文学論は、アジアや中東地域の文学状況を必ずしも考慮したものでないため、理論的汎用性はヨーロッパとその（旧）植民地に限られているように思える。またフランス中心主義的な理論だというまっとうな批判も当初から出ていた。しかし当人も繰り返し強調してきたように、本書は万能な理論を目指したものではなく、あくまでもひとつの見取り図の提示である。重要であるのは、本書をうまく利用し、そのアイデアを活用することであり、その過不足や偏向をこぞって批判することではないだろう。

カザノヴァは本書のほかに三冊の著書を遺した。『抽象者ベケット』（1997）、『怒れるカフカ』（2011）、そして本書の問題意識の延長にある『世界言語』（2015）である。彼女への追悼文を読んで知ったが、カフカ論や言語論を書いていた時期は不治の病に冒されていたという。

また、意外なことにカザノヴァはデューク大学で三年間客員教授を務めたものの、正規のアカデミックポストに就く機会はついに訪れなかったようだ。その理由は分からないが、後続の育成という観点からすると、あまりに惜しいことだった。唯一無二と言える『世界文学空間』が改めて読まれることを願いたい。

3 フランソワ・マトゥロン（一九五五―二〇二一）

肌理の細かいざらざらしたクリーム色のカバーに印字された、赤い題字と著者名。カバーという皮膚、文字という裂傷。その傷口から、血が滲む。カバーをはずすと、男性の裸体を接写したモノクロ写真が本体表紙を覆う。「The Boy」と題された中村早《さき》の写真である。

装丁がこだわるこの〈身体〉は、本書『もはや書けなかった男』の成立をめぐる文字通りの条件である。二〇〇五年十一月のある日に著者フランソワ・マトゥロン（当時五十歳）を襲った「あの瞬間」以降、著者は以前のようにはもはや書くことができなくなる。それは医学的には脳卒中、より正確には「頸動脈解離による虚血性脳卒中」であり、本書では単に「卒中」と呼ばれる急性の事故だ。しかしながら著者にとって「どのように定義してよいか分からない」瞬間である。脳卒中で倒れた以上、その間の意識は当然ながら飛んでいる。

意識を取り戻したときには、もはや以前とはまったく異なる状況に著者は置かれる。まず、かつてのように話すことができない。頭に去来する考えを言葉にできなくなる。人や物の名前が頭に浮かんではすぐに消えてしまう。配偶者キャロルの名前さえも。あるいは言語療法を受けながら「犬」という名詞の代わりに「ワン！　ワン！　ワン！」と発話してしまう。マトゥロンが哲学者であり、ルイ・アルチュセール（一九一八—一九九〇）の死後出版されたエコール・ノルマル講義録『政治と歴史』（2006／市田良彦＋王子賢太訳、平凡社、二〇一五）をはじめとする著作の編纂・校訂を手がける人物であることを知ればなおさら、重い後遺症のなかで赤裸々に綴られるその言葉に読者は強く揺さぶられるだろう。

本書が執筆・出版される背景については、マトゥロンの友人である訳者の市田良彦が「最初に読まれるべき」とあえて付した「訳者あとがき」に詳しい。本書はもともと著者が自分自身のためにリハビリをかねて書いたものである。この場合〈書く〉とは「語を選んで文を組み立てる」作業であり、音声認識ソフトを用いてパソコン画面に入力することだ。卒中以後に断続的に書きはじめたものだが、本書が出版される二〇一八年までの比較的長い間隔のなかで、わたしにとってもっとも印象的である文章は、二〇一六年から二〇一七年までのあいだに書かれている。マトゥロンの後遺症がさらに悪化し、精神科クリニックに入院させられていた時期の文章である。

その時期の文章は〈不安〉に捉われている。みずからの身体への不安。みずからの意識の外で、身体がところかまわず糞尿を撒き散らすようになったからである。卒中の直後に見られた意識と身体がゼロ地点から外界を新たに経験する、つまり〈始まり〉を生き直すという肯定的な哲学的考察は消え、統御できない身体とその糞尿をめぐる日誌となる。

「誰が身体を知っている?」。本書で繰り返されるその一文が示すように、著者にとって身体はもはや他人である。「ぼくとぼくの身体の二人きり」であるのだ。

夜中の失禁だけでなく、日中でもズボンが濡れていることがある。排便については、座ると便秘になるために、あるときから浴槽で立ったまますするようになる。糞をして洗い流す。ところがこれも気づかぬうちに便器の横や、浴槽の外までも糞まみれにしてしまう。

この予期せぬ排尿、排便は、家族とDVDを鑑賞するというごく日常的な場面のあとの就寝のさいに繰り返されるが、そもそも卒中で倒れたのが家族とのDVDの観賞場面だったことを踏まえれば、わたしのなかで卒中と糞尿という異なる場面が不思議と結びついてしまう。他方で、このように不安を書き綴ることで、マトゥロンは、統御できないおのれの身体を、糞尿を勝手にする〈自由〉を有する身体であるかのように示してもいる。気高い精神であると思う。

本書は、彼の友人たちとの深い友愛によって生まれた。「きみにこのテキストを送る。ぼくにはこのテキストが自分以外の人のためになるのか分からない。きみには？」。文中に幾度も挟まれるこの一文は、訳者の証言によれば、友人たちに文章を送るときの実際のメッセージだった。本書に無二の親友として登場する市田をはじめとする友人たちが「このテキスト」を読んだ感想が本文に織り込まれている。彼に生きることを勇気づける言葉だったはずであり、彼のどの言葉も友への真摯な応答だ。

著者とその親密な友のあいだでやりとりされた言葉。だからこそここまで率直に書くことができた。何かに役立つこと、誰かのためになることから解放された、自分のための文章。ところが、一見して誰にも役に立たないそうした文章が他者の心にまで、ときに深い裂傷のように届くことがある。そのとき、その文章は、それを読んだ人の心中で忘れ得ない言葉となるのではないだろうか。『もはや書けなかった男』は、わたしにとって、もはやかけがえなく忘れがたい言葉の一部をなしている。

46

ヤンボ・ウォロゲム……………（一九四〇―二〇一七）

あの作品が果たしてヤンボ・ウォロゲムの不幸の始まりだったのかどうかはわたしには分からない。分からないが、フランス語による多くの記事はたしかにそうした論調で書いてきたし、今後もそのように書き続けるだろう。栄光をつかんだのも束の間、ウォロゲムは底なし穴に落ちていった、とか、ウォロゲムは結局のところ一発屋でありその作品も問題含みだった、等々。彼の名が想起されるたびに同じことが書かれてきた。呪われた、忌み嫌われた作家として。

その問題作、『暴力の義務』（岡谷公二訳、一九七〇）がフランスで刊行されたのは一九六八年のことだった。この小説でウォロゲムはアフリカ出身の作家として初めてルノドー賞を受賞した。一九四〇年にマリ（当時は仏領スーダン）のバンディアガラに生まれ、西洋的教育を受けてフランスに留学した、植民地出身のインテリであるウォロゲムが最初に書いた小説が、『暴力の義務』だった。刊行当時、「これは、多分、その名に値するアフリカ最初の小説である」という賛辞があがったほど、フランス読書界からは熱烈に支持された。こうした評判に後押しされて岡谷公二が一九七〇年にこの作品の日本語訳を出版したのである。

ところが、その名声はたちどころに掻き消される。一九七二年、本作の英訳刊行をきっかけに、グレアム・グリーンの『ここは戦場だ』（仏訳1953）からの剽窃を指摘する声があがり、フランスでもアンドレ・シュヴァルツ＝バルトの『最後の義人』（1959）との相似点が指摘されたりもした。グリーン側のエージェントが出版差し止めを要求するなど、業界でほされたウォロゲムは、『暴力の義務』以降、数作を発表したのみで、作家生活を終えてマリに帰ることになる。それだけでない。この小説はアフリカの同胞からも痛烈な批判に晒される。

舞台となるのは、サハラ以南の一帯を支配する架空の帝国ナケム。この帝国は代々サイフという称号で呼ばれる王族が統治してきたが、二十世紀に差しかかるサイフ・ベン・イサク・エル・ヘイトの時代には、フランスの白人がナケムの領土を虎視眈々と狙うようになっている。物語は上述のサイフがおのれの領土を守るために張りめぐらす権謀術数を一方の軸に、さらには彼の奴隷として働くカスミとタンビラという男女の家族とその子どもたちの行く末をもう一方の軸にして展開する。

問題とされたのは、アフリカ人の描き方だ。ウォロゲムは、ナケム帝国を統治してきた歴代の王にたいしては残忍で非情な支配者として、民衆にたいしては迷妄状態を生きるような存在として、痛烈な揶揄を込めて描いたのだった。歴代のサイフたちによる奴隷の売買、初夜権の行使、さらには慣習的に行なわれる女性器切除など、一言でいえば否定的なアフリカの断片がそこかしこに見出せる。当時の文脈では、アフリカの独立にたいするシニカルな見解を通り越して、ある種の冒瀆のようにも受け取られたのだろう。詩人にしてセネガル大統領サンゴール（当時）はウォロゲムの態度を「ひどすぎる」「祖先を一人残らず否定して肯定的な作品など作れるわけがない」と酷評している。

アフリカ出身の新たな世代の作家からはウォロゲム再評価の声もあがっているものの、本人は作家としての再起をついぞ果たすことなく、二〇一七年十月十四日にマリのセヴァレで他界した。追悼記事でも延々と繰り返される以上のウォロゲム物語を本人がどのように捉えていたのかはわたしには分からない。分からないが、本作を虚心に読み始めれば、この作品にまつわる毀誉《きよ》褒貶《ほうへん》などすぐに気にならなくなる。ある意味では小説世界のなかに引き込まれるからだが、そこで味わうのは、世の残酷を前にした、傍観者の屈辱感や無力感である。

サイフが支配するこの小説世界のなかでは、あらゆる種類の暴力が執拗に繰り返される。

> 喉をかき切られた子どもたちの死体の群れから程遠からぬところに、皆の目の前で夫たちに犯され、断末魔の苦しみにあえぐ母親たちの姿とその大きく口をひらいた内臓から押し出された十七の胎児が見られた。そのあと夫たち

は、恥にうちひしがれて身を殺《あや》めた。

こうした描写がこの世界を覆っているのであり、黒人にせよ白人にせよ、人々がなぶられ、凌辱され、ゴミのように殺されつづけるのを読者は直視しなければならない。そうした関係性までをふくめての暴力の義務なのである。

分かるか、分かるか、ニグロというのはゼロなんだ。ニグロの女は切り捨て御免だ。おれたちには力がない。権利がない。サイフがいる。国は証人をほとんど尊重しない。で、おれたちは売られるんだ、売られるんだよ。ああ、絶望だ！

遺作となったパゾリーニの映画『ソドムの市』（一九七六）をも連想させるウォロゲムの『暴力の義務』が問い直すのは、人間性とは何か、ということである。他者の人間性を真に破壊するのは、正気の人間、しかも、他者の抵抗を許さないほど圧倒的な力をもつ人間である。小説や映画のように、向こう側の世界だけの話であればよい。しかし、残念なことにわたしたちはサイフやファシスト権力者が支配する世界から隔絶した場所に生きているわけではない。抵抗すらも取り上げられたときにわたしたちに残されるのは何か。今からそのことを想像しておくためにも、『暴力の義務』を読むべきだ。

5

東松照明（一九三〇—二〇一二）

「あなたのうえに安らぎがありますように」——アフガニスタンで交わされる挨拶の言葉からその題名をとった東松照明の写真集『サラーム・アレイコム』を読み直すのは、個人的感傷に由来する。周囲の世界の喪失を経験することが近ごろ多いなか、二〇二〇年四月五日に閉店した荻窪の古書店、ささま書店はわたしの人生のうちのいくばくかを占めていたのは疑いない。東京で人文系院生時代を過ごした人なら知らない者はいないと思うこの名店閉店の報に触れたとき、ささま書店からわが書棚に仕入れた数々の本のなかで咄嗟に思い出したのが本書のことだった*。

一九六三年八月、創刊されたばかりの雑誌『太陽』(平凡社)の特派員として、写真家の東松照明はアフガニスタンに滞在した。そのときに撮りためた写真を、六八年、東松の出版社「写研」から自費出版のかたちで出したのが本書だった。『〈一一時〇二分〉NAGASAKI』(一九六六)、『日本』(一九六七)という、彼の代表作にして日本写真史の重要作と目される、戦後日本社会を批判的にまなざしてきたその一連の仕事のうち、アフガニスタンの写真集が突如挟まれたことの意味を考えるには、東松照明のうちに文明批判的視点があったことを思い起こす必要がある。

たしかに、都市生活者はいま、息づまるような物質文明のパラドックスに悩まされている。自然を改変して村や町をつくり、物質文明の結晶として都市を築いてきたのは人間だ。その人間が自ら生みだした物質文明のメカニズムに、逆に飼いならされるようになったのだから皮肉というほかはない。家畜を飼いならしている遊牧民と、家畜のように飼いならされている現代人と、どちらが人間としてしあわせだろうか。自然の民の存在は、文明の混沌に鋭い反省の矢を射る。

物質文明にたいする東松のこうした同時代的省察は、二〇二〇年三月末に他界した松田政男の『風景の死滅』（田畑書店、一九七一）や、雑誌『プロヴォーク』（一九六八）に集う中平卓馬（一九三八―二〇一五）、森山大道（一九三八生）といった後続世代の写真家の時代認識に通底するものだった。もっとも、若き中平や森山は、物質文明の時代における写真の思想的深化を重視し、理論（執筆）と実践（撮影）の往還のなかで、写真の固有性を破滅的に探求する。これにたいして東松は、物質文明の境域に定位した〈外〉からのまなざしで戦後日本社会を批判するという方法論をとった。

当時のアフガニスタンは、立憲君主国として再出発を果たした政治的安定期だった。『アフガニスタンの農村から』（岩波新書、一九七一）の著者、大野盛雄（一九二五―二〇〇一）が現地調査を行なうのが一九七〇年であることを考えれば、六三年に東松によって撮影された写真群は、よそ者がアフガニスタンの住民と風土を撮影するという文化人類学的な仕事としても重要だと言える。時代とともにその土地の景観や住民の生活形態も変容していく。時が経てば経つほど、写真は、そこに映し出された断片の視覚的記録という、その特性を発揮する。

それゆえ、喪失と切り離せないメディアが写真だ。撮影者は二〇一二年に他界した。そこに映された世界はそれ自体としてはもはや存在しない。しかし、そこには、それぞれの写真には切り取られた瞬間、かつて存在した現在が映し出されている。

『サラーム・アレイコム』を構成する写真は、不思議なことに被写体との距離が近い。よそ者である写真家が被写体に撮影されることを受け入れてもらっているかのような、そこはかとない親密さの記録。ファインダーに映る人々のまっすぐ見つめる目、その輝き、打ち解けた表情、笑顔といったものが、アフガニスタンという国はこの人々のことなのだ、と思わせる。[＊＊]

しかし、その後のアフガニスタンは米ソ冷戦下の構図のなかで政治的な不安定化を余儀なくされ、九二年以降、内戦に突入して無政府状態に陥るなか、タリバンが台頭する。その後は周知のように、二〇〇一年九月十一日の「同時多発テロ」、合衆国による報復の空爆が行なわれた。

二〇〇二年、東松はアフガニスタン支援を目的とした写真展「アッサラーム・アレイクン」を開催した。その開催の辞で彼はこう述べている。

現在、戦火から逃れて四散した難民は約五〇〇万人といわれている。それらの人々が廃墟と化したカブールに戻りつつある。しかし、厳寒の冬を越せない人々が実に多いと聞いている。必死で生き延びようとしている誇り高き自然の民を支えるため、私にできることはないか。絶望的な無力感に打ちのめされながらも、三九年前のカブールとバーミアンの風物とそこで暮らす人々の写真をここに差し出し、アフガニスタンの人々が、一日でも早く、これらの写真にみられる平穏な日々を取り戻すことを願うものである。

このときの入場料と寄付金は、アフガニスタンでの中村哲医師の活動を支援する「ペシャワール会」のルートで現地に届けられたという。その中村哲も何者かの襲撃を受けて亡くなるという悲劇的な訃報が届いたのは、二〇一九年十二月四日のことだった。東松とも共鳴しているであろう、中村医師の『アフガニスタンの診療所から』(筑摩書房、一九九三)の次の言葉を最後に引いておく。

ここ〔アフガニスタン〕には、私たちが進歩の名の下に、無用な知識で自分を退化させてきた生を根底から問う何ものかがあり、むきだしの人間の生き死にがあります。こうした現地から見える日本はあまりに仮構にみちています。人の生死の意味をおきざりに、その定義の議論に熱中する社会は奇怪だとすらうつります。

ポストヒューマニズムの今日的な時代認識のうちで立ち返るべきは、この言葉の揺るがぬ芯にあるのではないだろうか。

サラーム・アレイコム、あなたのうえにも安らぎがありますように。

＊　ささま書店閉店後、現在は同地で古書ワルツ荻窪店が営業している。

＊＊『サラーム・アレイコム』の続編ないし再編集版に朝日ソノラマ写真叢書の一冊『泥の王国』（一九七八）がある。収録されている写真のうち『サラーム・アレイコム』と重複するものもあるものの、その半数以上が未発表の作品からなっている。

6
ジャック・クルシル……（一九三八―二〇二〇）

二〇二〇年六月二十五日木曜日、旧友のラファエルからSNSのメッセージを久しぶりに受け取った。わたしがSNSでシェアしていたアフリカの芸術家の数年前の訃報記事を見て連絡をくれたのだった。その芸術家とはフレデリック・ブリュリィ・ブアブレ（一九二三―二〇一四）。象牙海岸出身で、ベテ族のための四百以上の音節文字からなる新文字体系「ベテ・アルファベット」の考案者として知られる。

ラファエルは、二〇〇九年のある思い出に触れてくれた。その年の十二月、エドゥアール・グリッサンがカルベ文学賞授賞式のために主催者としてマルティニック島に戻ってきたときのことである。

ラファエルは当時、グリッサンの個人秘書（現在はモントリオール大学教員）をしており、わたしはカリブ海文学を肌身で感じるためにこの島に長期滞在をしていた。このようなわけでカルベ賞授賞式にわたしも居合わせたのだが、そのさいにおそらく流されていたのが、短篇記録映画『ブアブレのアルファベット』（ニュリット・アヴィヴ監督）のようだった。

当時のわたしはブリュリィ・ブアブレのことをいまだ理解できておらず、その存在を衝撃的に受け止めるのは、真島一郎編『二〇世紀〈アフリカ〉の個体形成』（平凡社、二〇一一）に収められた編者の渾身の論考を読んでからのことになるが、このブアブレの死をめぐる記事に触れたラファエルは、二〇〇九年、やはりその場に居た、グリッサンの親友ジャック・クルシルの近況を伝えてくれたのだった。

クルシルとはどんな人物か。初めて見たときの様子をブログにこう記したことがあった。

その演奏を目にしたのは、二〇〇九年十二月マルティニックのカルベ賞授賞式においてだった。身長一九〇cmを超えそうな初老の大男。片手にもったトランペットが小さく見える。その古びてくすんだ見た目から長らく愛用しているトランペットであることが分かった。男の後ろの白いスクリーンには、エドゥアール・グリッサンの最後の長篇詩「大いなる混沌」が映し出されていた。この詩の朗読と交互に、男はその大きな体躯を前に屈ませて小さなトランペットを吹く。楽器から発せられる音は、もはや音というよりも一個の声だ。ある道を究めた人間がたどりつく境地というものがあるとしたら、それはたとえばこのようなトランペットの奏でる音かもしれない。そう思わせる凄みがジャック・クルシルの演奏にはあった。

（『OMEROS』二〇一〇年六月十六日付記事より）

わたしにとってクルシルは、なによりトランペットの詩人だった。この演奏を初めて聞く数カ月前、現地で入手した二〇〇七年のアルバム《喧騒《クラムール》》に深い衝撃を受けたことを覚えている。ある日、マルティニックのアンティル書店のCDコーナーで、草むらにトランペットを構えて佇むモノクロ写真の印象的なジャケットに遭遇した。裏返すと、グリッサン、ファノン、モンショアシといった、個人的に親しんでいる作家名を冠した曲が並んでいる。これを聴かないでおいてしまうことなどできなかった。

事前情報はなかった。それゆえいっそう、クルシルの声とトランペットは衝撃的だった。今なら次のように表現できるかもしれない。クルシルの太くしわがれた声はその奥底に苦悩を隠すが、トランペットのほうはこの苦悩を包み込むような余韻を残す、寛容の音色を奏でる、と。

偶然にも、《喧騒》に収められたクルシルの〈大いなる混沌〉をこの数カ月のうちに二度も耳にする機会があった。

一度目は、二〇二〇年三月二十日金曜日、恩師、今福龍太（一九五五生）の東京外国語大学での最終講義に相当する〈オペラ・サウダージ〉のときだ。全体のコラージュをなす各場面が著作のみならず、ある内的追想と結びつくこの〈オペラ〉において、『クレオール主義』のこと、カリブ海での滞在、グリッサンについて壇上にあがって対話を行なったさい、今福が舞台でかけたのがこの〈大いなる混沌〉だった。

二度目は、六月十九日金曜日の、「エドゥアール・グリッサン研究入門」と題した東京大学文学部での遠隔授業の折だ。グリッサンの小説『第四世紀』を取り上げたこの日、発表者Kが、〈オペラ・サウダージ〉のさいに聞き知ったクルシルの〈大いなる混沌〉を、奴隷貿易の記憶に因んでかけてくれたのだった。

大いなる混沌がやってきた／大いなる混沌はこの場にいる……。

「いや、実は一週間前に授業でクルシルの音楽を聞いたんだ」——そうラファエルに返信をしたところ、こんな返信をもらった——「ジャックの音楽が一週間前に日本で響いていたなんて。とてもうれしい。感激している。だってこれはジャックが旅立とうしているまさにそのときに〈全‐世界〉のうちに彼が「いること」の印だと思えるから」

そうしたやりとりをしてから間もない六月二十六日金曜日の朝、ジャック・クルシルは旅立った。八十二歳というその年齢は、二〇一一年二月三日に去ったグリッサンと変わらなかった。

同日の『メディアパール』に発表されたロイック・セリの追悼記事では、このトランペットの詩人の生涯が簡単に振り返られている。最後に紹介しておこう。

一九三八年、パリにマルティニック出身の両親のもとに生まれる。戦後のパリで詩に親しみ、ジャズに出会う。ネグリチュードに傾倒し、モーリタニア独立闘争に居合わせ、政治犯として捕まるものの、セネガル大統領サンゴールの政治介入により釈放。以後、ダカールでサンゴールの個人秘書を務める。その後、フランスに帰国。言語学者の道を歩む。また、ニューヨークに行き、トランペット奏者ビル・ディクソン（一九二五―二〇一〇）と決定的な出会いを果たし、新奏法を発明。一九六九年、最初のアルバム《ウェイ・アヘッド》をBYGレコードより発表。

一九七七年、言語学博士、九二年、科学哲学博士。マルティニックのアンティル・ギアナ大学、コーネル大学、カルフォニア大学アーバイン校で教師生活を送った。主著に『言語活動の沈黙の機能』(2000)、『純粋価値——フェルディナン・ド・ソシュールの記号学的範列』(2015)。主なアルバムに《ブラック・スイート》(1971)、《ミニマル・ブラス》(2005)、《喧騒》(2007)、《涙の道》(2010)。ラストアルバム《オスティピタリティ・スイート》(2020)はジャック・デリダ『歓待について』(1997/廣瀬浩司訳、ちくま学芸文庫、二〇一八)における「歓待《オスピタリテ》」と「敵意《オスティリテ》」の議論をモチーフとしている。

7

コレット・マニー（一九二六—一九九七）

コレット・マニーを知ったのは、振り返れば彼女が他界した頃だった。当時はCD音楽文化の全盛期で都内には大型店舗（タワレコ、HMV、WAVE、ヴァージンなど）がひしめきあって音楽好きの若者を惹きつけていた。その頃よくつるんでいた大学講師と一緒に六本木のWAVEや原宿のNADiffに通った記憶があり、アントナン・アルトー（一八九六—一九四八）のような狂気の衝迫に惹かれる、純朴だとしか言いようのない仏文学生だったわたしは、前衛音楽やフリージャズの文脈で語られるシャンソン歌手コレット・マニーになぜか出会ってしまった。

とはいえ、当時はその難解な歌詞の政治性をまるで理解できぬまま、その叫ぶ不協和音に打ちのめされただけにちがいなく、いったいどうしてコレット・マニーのCDの束を熱心に買い漁ったのかが分からない。そこには、都市型狩猟採集民族ともいうべき個人的な性《さが》だけでは説明のつかない、不思議だが必然的な縁を感じるものの、その縁のことも不覚ながら忘れかけていた。

ところが二〇一八年四月、二十周忌を終えたころ、すなわち〈六八年五月〉から五十周年という節目の年に彼女のCDが一〇枚組ボックスで発売され、この二十年間漠然としか受容してこなかったコレット・マニーの音楽を再訪する機会を授かった。その音楽に改めて向き合うにあたり、渾身のコレット・マニー論である大里俊晴「全ての抑圧に抗して——コレット・マニー、その生涯と芸術」(初出二〇〇七、『マイナー音楽のために』月曜社、二〇一〇所収)を再読し、念願のシルヴィー・ヴァデュロー『コレット・マニー——ブルースの市民』(1996)を入手した。この本は当時少部数でしか発行されず、大里が「誠に遺憾ながら」参照できなかった「彼女についての唯一のモノグラフ」だ。再刊された版(2017)はこの入手困難な一部をフランス国立図書館で見つけることから始まり、クラウドファンディングで資金を集めてついに刊行されたものだ。

コレット・マニーの音楽を特徴づけるのは、なによりも政治性である。ブラック・パンサー党への連帯表明、勾留中の政治活動家の解放要求、北アフリカからの労働者や「不法滞在者」の苦境、イスラエル／パレスチナ問題、ベトナム戦争、広島の原爆……こうした主題をみずから選び、怒りを込めてうたってきた。アルトー、ネルーダ、ゲバラ、ホセ・マルティ、リロイ・ジョーンズ（アミリ・バラカ）など先人たちの言葉を引用しながら、彼女はその歌でもって権力に抗い、挫かれた人々を支えてきた。

録音された音源として彼女のキャリアが始まるのは一九五八年以降であり、当初は〈セントジェイムズ病院〉をはじめとするブルーズやジャズのスタンダード・ナンバーを得意とする歌手だった。英語が堪能であり、国際経済協力機構で二カ国語の秘書を十七年勤めたのち、一九六二年、三十六歳のときに辞職してプロの歌手として生きる決意をする。

コレットにとって決定的であったのは、この年の一晩の出来事だった。

ある日の夜、当時暮らしていたパリのアパルトマンの窓から突如激しい怒号が聞こえ、それがアルジェリア民族解放戦線派とフランス領アルジェリア派とのあいだの抗争であることを知る。翌日、近くのキオスクに走って日刊紙の朝刊をすべて買ったという。本人は「政治への遅い目覚め」だと語るが、ブルーズ・ソングをつうじて黒人の苦境を表現してきた彼女のブルーズが、いわば借り物を脱するための必然的な道程だった。

プロの道を目ざしてまもなく彼女の歌唱力は認められ、六三年には大手CBSから出した自作曲〈メロコトン〉が人気を博した。この曲をタイトルとするアルバムではスタンダード・ナンバーのほかにユゴー、ランボー、アラゴンといったフランス詩人をうたっている。しかし、商業主義路線での成功にそもそも関心を抱かなかったコレットはCBSを離れると、新たな移籍先のレコード・レーベル〈世界の歌《ル・シャン・デュ・モンド》〉から、音楽的にも政治的にもよりいっそうラディカルな歌を発信していく。

一九七二年に発表した《レプレッション》は、彼女の代表作のひとつだと評すことができる。アメリカの国旗から飛び出す黒豹をあしらったジャケットに示されるとおり、ブラック・パンサー党の戦いに捧げられたこのアルバムは、フランスにフリージャズの観念をもたらしたピアニストのフランソワ・テュスク（一九三八生）との共同制作だ。〈バビロンＵＳＡ〉では疾走感のあるピアノ演奏にあわせてコレットが早口でこう語りだす。

サン・クェンティン刑務所凶弾に斃れたジョージ・ジャクスン　警備員に背を撃たれた
アッティカの虐殺　八五％の黒人とプエルトリコ人　暴動、異議申し立て
監獄システムに抗する　レイシズムと抑圧に抗する
バ・ビ・ロ・ン・Ｕ・Ｓ・Ａ

コレットは一九七一年に起きたふたつの刑務所での事件を、権力と抑圧のシステム、脱出すべき悪の監獄というアメリカの国家イメージに一息に結びつける。

このイメージの高速連結が彼女の政治歌のうちでは効果的に発揮されるように思える。実際、バビロンであるところのUSAにはすぐさま「ブタ」＝「警察」のイメージが与えられる。KKK、サド＝ファシスト、ニクソン、ミッキー・マウス、レーガン、ジェイムズ・ボンド……これらが一匹の黒豹にとっての「ブタ」であり「バビロンUSA」だと彼女は畳みかける。

このわずかな例でも分かるように、コレットは詩人であり、その原動力には怒りがある――「わたしは巨大な怒りを抱えている。怒りを鎮められない。だから毅然としていられる。森に叫びに行くだろうね」

コレットの怒りは抽象的なものではない。他者の困難と苦しみをみずからのものと感じる想像力が彼女の怒りの根源をなしている。だからこそ、その怒りは哀しみと表裏一体だ。

一九六八年、サントゥアンのトムソン工場で彼女がうたったときのことだ。彼女がうたうにつれて年配の労働者が涙を流し始めた。自分の苦境を重ねあわせて泣いたのだ。その涙を見て、コレットは最後までうたい切れる自信をもてなくなったという。彼女はそこで言葉を止めるが、彼女の心のうちにも涙が流れたのだと思う。

コレット・マニーは、他者のために、他者の代わりにうたいつづけた。同時代の世論からいかに忘れ去られようと、本物のブルーズ歌手、一人の民衆詩人の道を頑なに歩みつづけたコレット・マニー。彼女の歌は聴きつがれ、うたいつがれる——彼女のように孤独で優しい人々のあいだで、永遠に。

第Ⅳ部 交響

1 アナキズムと詩的知恵

森元斎『アナキズム入門』（ちくま新書、二〇一七）のなかで印象的な一節に出会った。栗原康の文章に通じるその自由放埒な口語的文体から立ち現れる五人のアナキストの評伝的軌跡もさることながら、森が述べる「方法としてのアナキズム」が興味深い。

森によれば、アナキズムは「近代的な思考方法」とは異なる「知恵の位相」にある。しかもそれは、特別な思想の類いではなく、「あらゆる未開民族と呼ばれる人たちが有していた知恵」なのだという。森がアナキズム的思考方法のうちに認めるのは、合理主義的な思考方法の成立以前にさかのぼる、「真偽判断にかけてみれば、多くが偽となる」ような、「レトリカルな関係」にもとづいた未開民族的な知恵のあり方だ。

ここから、森は、アナキズム的思考方法の領域を、世界各地のさまざまな民族の「生の技法」を探究する学問としての文化人類学へと拡張させていくが、その論旨展開の手前で立ち止まって考えてみたいことがある。なぜレトリックが未開民族と呼ばれる人々の知恵の特徴となるのだろうか。

そのことを考察するにあたって、わたしはジャンバッティスタ・ヴィーコ（一六六八—一七四四）の名を引き合いに出したい。十七、十八世紀イタリアを生きたこの哲学者は、主著『新しい学』第二巻（1725／上村忠男訳、中公文庫、二〇一八）のなかで古代人の「詩的知恵」を論じている。以下、上村忠男『ヴィーコ』（中公新書、二〇〇九）も参照しながらこのコンセプトをたどりたい。

詩的知恵とは、近代的視座からは「未開」とされてきた、太古の人々が編みだしてきた〈世界〉の把握のことだ。たとえば古代ギリシアは、ヴィーコにとっても、理性主義的アプローチでは及ばない、時間的にも文化的にも隔絶した場所だ。

その異教の土地からどのようにギリシア神話のような物語が生み出されたのか。ヴィーコはこのことを次のように推論していく。

異教世界の「最初の人間」は、論理的な知性を有しない反面、感覚と想像力が研ぎ澄まされていた。要するに、天性の詩人だったのである。その人々が最初に生み出した神が、ゼウスだった。

ゼウスの誕生は、雷の発生と結びついている。人々は落雷という「原因のわからない大いなる現象に驚き、びっくりして、目を上げ、天に気づいた」のである。そこで、かれらは「天を一個の生命ある巨大な物体であると想像し、そのような相貌のもとで、それをゼウスと呼んだ」。

以上のヴィーコの推理を科学的に証明するのは難しい。しかしこの推論はおそらく正しいとわたしは考える。始まりの人間は詩人的資質を有していたからこそ、かれらは原因不明の雷を「神」という詩的記号で喩えた。つまり、自然界の事象をさまざまに喩え、把握していくことによって、〈世界〉を構想していったのではないか。ヴィーコによれば、「最初の人間たちは、かれらがなしえたかぎりのものによって、つまりは感覚と情念によって、物体に生命ある実体の存在をあたえ、そこから物語を作りあげたのだった」。

ヴィーコは、こうした太古の人間のうちに「幼児の本性」を見ている。このことは重要だ。太古の人間を「幼児」と喩えることは、悟性的判断力を備えた「大人」であるところの現代人の優位を説くことではもちろんない。わたしたちが人間である以上、いかなる時代、いかなる文化を生きていようと、かつては「幼児」だった。「幼児」というメタファーが可能とするのは、わたしたちもまた潜在的には詩的知恵（太古の人間の知恵）を有している、と捉える認識なのである。

この「幼児」とは、わたしたちの内なる太古の人間、わたしたちの内なる未開民族のことだ。この意味で、「人類が何千年も生きてきた中」に「技法や知恵などのヒント」を見出そうとする、森元斎の姿勢に共感を覚える。同じく「私たちは私たちから学ぶのだ」という一文にも。

ただ、そのためにも、なにより必要なのは、わたしたち自身が詩的創造を再発見することではないだろうか。つまり、後天的に身につけた論理的知性を宙づりにすることで、たとえ一時的にでも天性の詩人となることであり、その感受性と想像力から、わたしたちが生きる世界を根本的に見つめなおすということではないだろうか。その退行的な方法は、この破綻寸前の世界を創造的に生き抜くために必要な知恵のあり方をまっすぐに示している。

2 口頭伝承と神話的思考

山口昌男の人類学的仕事のうち、アフリカ関係のものを改めて確認したくなり、最初の単著『アフリカの神話的世界』（岩波新書、一九七一）を読み直すことにした。そして、この本の周辺を探ろうと、『山口昌男――人類学的思考の沃野』（東京外国語大学出版会、二〇一四）を当たってみて次の事実にまず驚いた。

山口は一九七一年、『アフリカの神話的世界』を一月に出版したのち、矢継ぎ早に『人類学的思考』（三月）、『本の神話学』（七月）と、山口文化学を語るうえで不可欠な重要作を出版していたのだ。

これを機会に『人類学的思考』の初版（せりか書房）を取り寄せた。A5判函入りで五八〇頁に五十本の文章を収めた、噂に違わぬ圧倒的分量であり、アフリカ関係の貴重な論考や、ナイジェリア滞在時に書かれた文章などを収めている。なぜナイジェリアかといえば、一九六三年から二年間、山口はイバダン大学でナイジェリアの学生を相手に人類学を教えていたからだ。「グローバル人材」などの産業用語が大学業界で頻繁に叫ばれる半世紀前であることを思えば、この挿話ひとつだけで山口の規格外のスケールが伝わってこないだろうか。

そのようなわけで、先行する『アフリカの神話的世界』もまたナイジェリアをはじめとするアフリカ各地の現地調査にもとづいた本格的な著作である。山口が興味を抱いたのは、特定の民族の研究を超えて、アフリカの人々が共有する想像力の世界、つまりは、口頭伝承で語り継がれる説話世界だった。日本ではフランス文学を典型とする高尚なハイカルチャーに人々が憧憬を覚えるなか、山口はアフリカに暮らす人々の記憶のなかの物語を収集することを率先して行なった。こうして『アフリカの神話的世界』には、本人が実際に聞いて収集したもののほか、先行する欧米の人類学者が記録したものをふくめ、計四十六話分の神話や昔話が圧縮して収められることになる。

ところで不思議に思うのは、本書がなぜ二百頁足らずの新書の体裁で出版されたのか、である。山口は当時三十九歳、しかもデビュー作で新書だ。現在の感覚でいえば、新書でのデビューともなれば、よほど売れっ子の書き手や売れそうなテーマではないだろうか。この本も、たしかに昔話を題材にしているから読みやすいは読みやすい。しかし、四十六話分を詰め込んでいるのだから、通読するのには実はたいへん時間がかかる。

しかも、本書で用いられるのは、当時においては先端的であったはずの構造分析の手法だ。複数の説話を比較し、その形態を類型化することで、各地で語られる昔話や神話に共通する隠されたメッセージを読み解くという手法だ。今でこそウラジミール・プロップの名著『昔話の形態学』（1928／北岡誠司＋福田美智代訳、水声社、一九八七）が日本語で読めるわけだが、当時の日本では比較的目新しい方法論だったのではないだろうか。そして、この物語分析をつうじて著者が明らかにしようとするのが、アフリカの口頭伝承のうちに見られる「神話的思考」であり、これを特徴付けるキャラクターこそ、やがて山口文化学の代名詞となるトリックスターにほかならない。

トリックスターは、アフリカの民話においては野兎、蜘蛛、亀といった動物の姿をして登場する。第一章で紹介されるザンデ族の物語に登場する蜘蛛のトゥレを例にとろう。短めの話を引用したい。

トゥレは、母方の叔父アバレ族（ザンデ族の一部だが、違った言葉を喋る）のところへ出かけていった。彼らは鉄を打って鍛冶の仕事をしていた。彼らはトゥレに挨拶した。トゥレはふいごを押して彼らの仕事を手伝った。このころ人々はまだ火というものを知らなかった。仕事が終るとトゥレは「明日の朝踊りにやって来ましょう」といった。翌朝トゥレは家にあるすり切れた着物用獣皮をいっぱい身に纏うと、アバレ族のところへやって来てふいご押しを手伝った。しばらくすると立ち上って、炉のところへいき、火を跨いで立った。すると火は獣皮に燃えうつった。人々は火を消そうとやっきになった。さあ大変というわけで、トゥレはあたりを駆け回りはじめて大騒ぎになった。トゥレは一目散に枯草の野に駆け込んだので火はあたり一面に拡がった。トゥレはなおも駆けつづけたが、立ち止って火に唱いかけた。「俺はどんどん行くよ／お前が薪の山にとどまって／皆が誰もが持つようになるまでさ」。火はこうして皆の間にひろまったのである。

一読して分かるとおり、ザンデ族における火の由来を語っている。トゥレは道化のように立ち回り、鍛冶仕事をするアバレ族から火を盗んでザンデ族のもとに届けている。このように異界や異人の有するものを蜘蛛のトゥレが策略を練って人間のもとに持ち帰るというパターンはザンデ族に見られる説話構造だ。トリックスターとは、まずは狡知を働かせるいたずら者であり、トゥレのこの話のように、ときに文化英雄（神と人間、混沌と秩序の中間に位置して両者を仲介する存在）の役割をも備える存在だ。

ところでこうした分析は、ややもすれば無味乾燥なものになる。山口は当然これを自覚しており、だからこそ本書を具体例で埋め尽くした。しかも、その具体例から論理操作を行なうことにも自覚的だ。『人類学的思考』のなかで山口はこう述べている。

対象とする文化の全体としての特殊的・論理的形態を明らかにすると称し乍《なが》らも対象の中に研究者自身の論理的枠組を投射する危険に人類学者は常に曝されている。

その一方で、対象のうちに没入したら研究は不可能だ。山口の考える人類学者とは、「向こう側」の世界の神秘を垣間見ることで、そこから「こちら側」の世界に帰還しなければならない。この「オルフェウス的宿命」の自覚こそが山口の人類学的仕事の出発点をなしている。

この意味で『アフリカの神話的世界』は「向こう側」(彼岸、異界)の世界を垣間見た山口昌男のオルフェウス的冒険の書だ。そして、現地調査のあいだ、異人であったのは当然山口のほうである。山口がアフリカにおける「神話的思考」と名づけたものが何だったのかを、本書の叙述に垣間見られる「向こう側」の記述から想像してみたい。

周知のとおり、二十世紀前半のアフリカ大陸は西欧列強の支配下に置かれていた。植民時状況下、異質なヨーロッパ文化がアフリカの伝統文化に侵食していくなかで、先に述べたザンデの人々のあいだで自然と新しいトゥレ話が語られるようになった。

ザンデの人々はトゥレの話を子どもたちに語って聞かせる。だがだれもトゥレを見たことがない。しかしトゥレが実在するのをザンデの人々は知っている。そのトゥレは姿が見えないのだからきっとどこかに消えてしまったのだ。どこに？ ヨーロッパ人のもとにだ。ヨーロッパ人が作ったものは、実はすべてトゥレがこしらえたものなのだ。ヨーロッパの技術はすべてトゥレに由来する以上、ヨーロッパ人はザンデの人間からトゥレを隠しおおさなければならない。

これは、アフリカ人の論理の中にヨーロッパ人の存在も組み込んでしまう愉快な説明原理である。つまり、ヨーロッパ人の優越性をトゥレというザンデ側の文化英雄で説明してしまう。〔……〕ザンデ人達も、技術的に圧倒的に優越したヨーロッパ人支配の植民地体制という馴染みにくい、手触りのよくない不可避的状況を、トゥレという彼らに最も親しい、世界の中の異質なものの体現者というイメージの中に取り込むことによって、彼らの世界が二つに分裂してしまうことを回避する〝精神の政治学〟に応用したのである。

（『アフリカの神話的世界』）

トゥレの実在性は問題ではない、と著者は言う。なぜならトゥレは話者が語る物語の時間体験のうちにたしかに実在するからだ。こうして新たに発明されたトゥレの現代的物語をつうじて、ヨーロッパ人による植民地支配がもたらす精神の危機を、ザンデの人々は回避できるのだ。なんと深い知恵（神話的思考）だろうか。

口頭伝承の世界を論じた『アフリカの神話的世界』と対をなすのは、同年に初版が中央公論社から出版され、ヨーロッパのもうひとつの知の鉱脈を無数の書物からなる宇宙として再発見していく『本の神話学』だ。口頭伝承と書物の世界を縦横無尽に往還する山口文化学は、一九七一年の登場とともに途方もない「沃野」を示していた。そして、それはいまだに汲み尽くしがたい。

3 フランス国立図書館と作家研究

フランスにポスドクで留学していたころ、博士論文を準備中の日本の友人・知人からよく聞く合言葉があった。「ＢＮに行く」というやつだ。Bibliothèque Nationale、つまりは国立図書館《ビブリオテック・ナショナル》の略語を使って「べーえぬにいく」と言われると、ＢＮなどという大層な場所に何の用事もなかった当時のわたしには、優秀な後輩たちがひときわ輝いて見えたものだった。

ＢＮで研究する理由は人それぞれだが、もっとも筋がとおった理由は、ＢＮのみに所在する資料を利用するということだ。唯一無二の資料の代表格は、作家や思想家が書き残した手書き原稿の類いだろう。実際、日本のフランス文学研究のなかでは、草稿研究という分野で、地道だが着実な国際的成果を長年にわたって挙げてきている。カリブ海出身の存命作家エドゥアール・グリッサンを研究してきたわたしには、BNが無縁の世界だったのはそういうことである。

ところが、わたしが研究してきたこの作家が二〇一一年に没してから、思いも寄らない方向に話が進む。わたし自身は、生前の作家と数回の交流をした程度で、まったく深い間柄ではなかったから、グリッサンの死後、周囲で何が起きていたのかをよく知らずにきた。このため、二〇一四年に手書き原稿をはじめとしたグリッサンの各種資料がフランス政府により「国宝」に認定されたこと、さらには国立図書館に所蔵される運びになったことを知ったとき、非常に驚いたものだった。

さらに月日が経ち、二〇一七年、図書館での一般公開がついに始まった。手前味噌だが、わたし自身はその前年に『エドゥアール・グリッサン――〈全‐世界〉のヴィジョン』（岩波書店、二〇一六）を上梓し、自分なりのグリッサンの全体像を描いたわけだが、その著作では、当然ながらアーカイヴの資料を参照することはできなかった。さらに翌一八年にはグリッサンの身近にいた哲学研究者フランソワ・ヌーデルマン（一九五八生）がグリッサンの伝記を出版した。グリッサン研究を取り巻くそうした環境の変化から、この機会についに「ＢＮに行く」ことにしたのである。

こうして今年の夏のひと時をＢＮで過ごしたのだが、案の定、グリッサン・アーカイヴは手ごわかった。恥ずかしい話だが、国立図書館が実は旧館と新館に分かれており、多くの人が利用するフランソワ・ミッテラン館（新館）ではなく、リシュリュー館と呼ばれる旧館にアーカイヴがあることも、渡航の一週間前までついぞ知らず、ミッテラン館に歩いていくつもりでパリのチャイナタウンに宿をとったのも、当てが外れてしまった。

そのようなわけで、パリでの数日間、チャイナタウンからリシュリュー館の上層階の一室に地下鉄を使って通った。そこはDépartement des Manuscrits（手稿室《デパルトマン・デ・マニュスクリ》）という予約制サロンのような豪華な一室で、聞くところでは、ギリシア語、アラビア語、ペルシア語、ヘブライ語、中国語などで記された貴重な写本から、フランス文学関連ではユゴーにはじまり、ベケット、サルトル、フーコー、ドゥボール、バルトに至る、手書き原稿などが閲覧できるそうだ。実際、この訪問中、フーコーの資料を鍵のかかった保管室で見かけたり、アラビア語かペルシア語の美しい挿画の入った古い写本を閲覧する、日本からの研究者を見かけたりした。

グリッサン・アーカイヴは、ある程度予想していたように、いまだ整理中だった。一から七〇の数字に分類された黒い厚紙の資料ケースがあるのだが、整理済みのケースとはちがい、未整理のケースでは、まずそれが何のために書かれたものなのかが分からない資料によく突き当たる。タイプ原稿は扱いやすいが、手書きの原稿やノート、とくにメモ書きの類いはわたしには判読しづらい。手稿室ではグリッサンの詳細な目録を貸し出してくれるので、それに当たればアーカイヴの概要は掴める。ところが、その目録を手がかりに資料ケースに当たっても目録どおりには分類されていなかったりする。わたしの見るところ、グリッサン・アーカイヴの整備にはまだまだ時間がかかりそうである。

手稿室でグリッサンの創作過程を調査する作業は、本人に憧れと尊敬の念で接してきた者には感慨深いものがあった。と同時に、グリッサンをめぐる研究環境が彼の死後の段階に入ってしまったことを、多少の困惑をもって受け止めざるをえなかったのも事実である。

グリッサンのいまだ研究されていない新たな資料が調査可能となったことで、たしかに研究面での進展は今後さまざまなかたちで出てくるだろう。とくに自伝的な要素については、先の伝記もふくめて生前よりも多くのことが分かってくるにちがいない。しかし、本当に大切なのは、グリッサンが生前に出版した著述を読むことである。グリッサンの著作の全容を捉えることがもっとも重要なことなのだ。当たり前だが、研究は対象の範囲を限定すればするほど緻密になりうる。しかし、そうした細部の研究はしばしば全体を捉え損ねる。今後、アーカイヴを利用してグリッサンの特定の時代や分野に限定する専門家も出てきそうだが、正直なところ、そうした研究には大して関心をもてないだろう。

わたし自身、アーカイヴでの調査をどのように継続させ、研究に活かしていくのかはこの先のことだ。ただこれからは、「BNに行く」という合言葉を、恥ずかしながら使ってしまうにちがいない。

4 ニューカレドニアの民族誌

二〇一八年十一月三日の朝を、わたしはニューカレドニアの中心都市ヌメアで迎えた。独立投票を翌日に控えた市内は平穏そのものだった。午前中、研究者仲間と一緒に文書館を見学した。文書館では館長が出迎えてくれ、今回の投票に関連する貴重な資料を見せてくれた。

わたしたちが見たのは、一八五三年九月、フランスがナポレオン三世名義でニューカレドニア本島とイル・デ・パン島の領有を宣言する、との旨が記された二枚の手書きの証書だった。この時期、フランスはこうした一連の証書をつうじて植民地化を宣言し、各「部族」の「酋長（chef）」にナポレオン三世の主権を認めさせていった。「酋長」は、各証書にサインの代わりに「×」を記している。

館長が準備してくれた二枚のオリジナルの証書は、二〇一八年五月、フランス大統領エマニュエル・マクロン（一九七七生）が来島の手土産に返還したものだという。証書作成から長い年月を経た現在、改めて思うのは、言語の、とりわけ文字の権力性だ。先住民は、海からやってきた異人たちが自分たちの住んでいる土地の所有を、彼らの論理（文字による法体系）でもって正当化してしまうとは思ってもみなかっただろう。フランス人にしてみれば先住民はただの「未開人」であったにちがいない。

このような暴力的な遭遇から先住民カナクとフランス人の関係は始まった。それゆえ二十世紀中盤以降、各地の脱植民地化運動の反響がニューカレドニアに届き、カナク人による独立運動が盛んとなるのは必然だった。なかでもジャン＝マリ・チバウ（一九三六―一九八九）を指導者として独立派連合組織「カナク社会主義民族解放戦線（FLNKS）」が成立した一九八四年以降、この群島は、ほとんど内戦のような過酷な状況を経験する。独立派とフランス政府のあいだで結ばれた一九八八年の協定を経て、独立投票を行なうことが、九八年のヌメア合意で定められた。この合意から二十年後の二〇一八年十一月四日、フランス共和国からの独立を問う投票が実施されることになった。

この短い滞在中、街中ですれちがうカナクの人々から、日本人観光客を歓迎する様子は見られなかった。敵意というほどではないが友好的でないのはたしかだ。カナク系住民とフランス系住民とのあいだには見えない緊張関係がありそうだった。大げさかもしれないが、アルジェリア解放闘争の過程でフランツ・ファノンが記述したように、植民者と被植民者のあいだには埋めがたい分断があるのではないかと感じる数日間だった。

いったいカナクの人々はどのような文化を形成してきたのだろうか。そのことを深く知るための一冊として、わたしが現地の非カナク系文化人から薦められたのが、モーリス・レーナルト（一八七八―一九五四）の民族誌『ド・カモ』（1947／坂井信三訳、せりか書房、一九九〇）である。

本書の著者レーナルトは、フランス人宣教師として一九〇二年にニューカレドニアにやってきた。およそ二十年間、現地の宣教活動にたずさわり、カナクの言語を習得し、文化をその内側から理解しようと努める。カナク文化に関する資料や著作を発表しつづけ、フランス帰国後にはマルセル・モース（一八七二―一九五〇）の後任として、一九三五年から五〇年のあいだ、高等研究実習院の未開宗教史の講座を担当する。

訳者あとがきの挿話によれば、レーナルトの授業は評判が芳しくなく、講義に毎回出席するのはミシェル・レリスとレーナルト夫人だけだったが、レリスによれば「まるで目の前にメラネシア人がいるかのような」印象を与える講義を行なっていたという。メラネシア人とは、ニューカレドニア、ニューギニア東部、オーストラリア沿岸の島々で暮らす現地民の総称である。

著者の卓越した視点は、まずはその言語理解に示される。一般にわたしたちは言語を機能面でとらえがちだ。たとえばわたしは語学教師としてフランス語を教えるとき、フランス語と日本語のあいだにはあたかも一定の対応関係があり、あるフランス語の単語は、日本語の別の単語にさも当然置き換えられるかのように説明してしまう。「Ma Mère」＝「My Mother」＝「私の母」という具合に。

しかし、メラネシアの言語ではこれを「母・私」と表現する。「母」と「私」が一体であるという有機的関係が表されているのだ。それにたいし、「Mon père」にあたる現地語は「父・の・私」である。ここに「の」に相当する小辞が入ることで「母」よりも「父」との関係のほうに距離感があることが示される。「母・私」と「父・の・私」を区別するメラネシアの言語体系は、西欧言語にこれに相当するものがない以上、フランス語ではうまく言い表せない。「オロカウ」は文字通りには「大きい息子」の意だが、当地の白人はこれを「酋長」と訳した。

われわれの言語では酋長（chef）の語源は「頭」であるが、ここではそんなふうに考えることは決してない。酋長は政府の頭ではなく、彼が代表するのは特定の活動の「顔」である。〔……〕「酋長」とよばれているのは、実はクランという兄弟関係の集団、つまり父方親族全体の長老のことである。

つまりフランス語の「酋長」は家来をしたがえた権力者＝領主であるが、現地の言語では兄弟のなかの「大きい息子」なのである。彼には「領土を支配する権威はない」。収穫のときに初物を周囲から受け取るのは「彼がいるおかげで平衡が保たれ、目に見えない大長老たち〔先祖〕が耕地と人々の生活に対して好意的であってくれるから」である。

しかし、かれらの生活は白人による植民地化によって変容していく。人間は樹木から生まれ（「カナク人はみな、自分の祖先が森のどの樹木の幹から出てきたか知っている」）、死者は生者とともにあり、祖先の肉からできたヤムイモを丁重に扱うなど、人々は神話的な世界観のなかで生きてきた。そこに白人はカナクの世界観に存在しなかった観念を新たにもたらした。「身体」である。「身体」を認識することで、人間と樹を同一に捉えるような「融即」（レヴィ＝ブリュル）の思考が変容し、カナク人における世界と自己との分割が、神話的世界から離脱する人格の個別化が始まったのだ。そうレーナルトは解釈する。

そうであるならば、先住民カナクは、植民地化以降のこうした変容の過程をつうじて、西欧近代の構築した諸制度や思考様式と一定の折り合いをつけながら、今日の独立投票を迎えた、と考えられる。その結果は否決であったが、投票翌朝の地方紙によれば、賛成四三・六〇%、反対五六・四〇%であり、当初予想されていたような反独立派の圧勝とはならなかった（投票率は八〇・六三%）。一七万五千人の有権者のうち五万人が暮らすヌメアでは反対派が八割を占めた。しかし、本島の半分（東側）と離島では総じて独立賛成が上回った。

投票日の翌日、ヌメア中心地の旧家具店の放火後の現場を見た。すでに空き家だったそうだが、まるごと燃えた建物そのものが、無言の激昂を伝えているように思われた。各地では自動車への放火があったようだ。

ところで、ニューカレドニアの独立投票はこの一回限りではなく、この旅が終わったのちにも、二〇二〇年十月四日、二〇二一年十二月十二日と、二回の投票が行なわれた。二回目のさいも、反独立派がかろうじて相手を上回るという結果だった。ところが三回目の投票は、独立派が棄権を呼びかけることで反対票が九六・四九％と圧倒的多数を占めた。一見するとニューカレドニア住民がフランスに残留する意思を明示したように映るが、しかし、ここには独立派の人々のそれはほぼ反映されていない。事実、最後の独立投票の投票率は四三・九〇％だった。そう考えると、ニューカレドニアの独立をめぐるこの問いは、いまだ決していないのだ。

5 震えとしての言葉

十年前の三月十一日からひと月ほどだろうか、津波に呑み込まれた被災地の無数の瓦礫の光景を映し出す映像、原発事故の報道に、日々滞在先のパリで接していた。この未曾有の巨大地震とその余波を直接経験しなかったにもかかわらず、当時の映像を見ると十年前の胸騒ぎが身中に蘇る。原発の爆発で放射能が拡散していくあの恐怖の感覚も。

過去を想起するとき、わたしたちは過ぎ去ったことを〈今〉として生き直している。東日本大震災に先立つ三十六日前、エドゥアール・グリッサンという大切な詩人を失った。そのことを『現代詩手帖』四月号に書いたのだが、多くの人の協力を得て実現したこの追悼特集の準備中、編集部は震災に見舞われた。編集後記によれば、印刷所に詰めていたときのことだ。外に出ると、電線がたわみ、立っていることさえできないほどの震度が東京までも揺るがしたという。

大地は法《ノモス》にもとづく社会生活の基盤だと言われる。事実、十年前の震災はその基盤を根底から覆すほどの傷痕を日本社会にもたらした。そのときに求められたのは、共同体の再生のための祈りの言葉だったのだろうか。それとも、この廃墟の瓦礫から出発し、共同体を別様に構想するための言葉だったのだろうか。

グリッサンは二〇〇五年の著作『ラマンタンの入江』(立花英裕ほか訳、水声社、二〇一九)のなかで、フランス語で物理的振動や身体の震えを意味するtremblement(同書の訳では「ゆらぎ」)の語を鍵語のひとつのように用いた。地震を連想させるこの語のうちにグリッサンが聴きとるのは、なによりもわたしたちの世界を揺るがす力だった。

地球はいたるところでゆらぎを繰り返している。火山は火口を開き、洪水は土地を削り取る。竜巻が町を根こそぎにする。伝染病は止まることを知らない。気温は上昇する。水は枯渇し、汚染される。飢餓が無防備の共同体に襲いかかる。こうしたことは必ずといってよいほど人間の仕業から生じた結果である。

奴隷貿易と奴隷制の災厄を原点とするグリッサンの詩的思想は、日本の震災を知らず、人新世なる用語も知ることなく、少なくとも十五年前にはこのように問題の核心を突いていた。災害や飢餓を生み出すのは、自然ではない。そうではなく、人間だということを。グリッサンにとってグローバル化とはひとつの尺度(経済)で世界を標準化する標語であり、「最低の画一化、平準化、多国籍企業による密やかであからさまな支配、世界市場における野蛮極まりない自由主義」を意味した。震災から十年後、この国の政策は、被災地が経験した巨大な震えの記憶を消去し、社会基盤をより磐石に再建することに懸命だったのではないだろうか。しかし、そうした人間主導の開発は一時的に安心と安全を確保するように見えても、余震が震災時の感覚を呼び起こすように、新たな震えで破壊される可能性に脅かされつづける。その抜本的な解決とは、グリッサンによれば、次のこと以外には見いだせない。

世界の諸問題、すなわち、さまざまな民が抱える問題、彼らがただ生き延びることすら妨げる問題、彼らの相互関係にかかわる問題を解決するためには、（道徳命令とは無縁の）この想像界の大規模な蜂起以外に、永続的な解決策はおろか、一過性の解決すらありえないだろう。

想像界（域）の大規模な蜂起。この蜂起を率先してきたのは、画一的、平準的な言語使用のなかで育成される社会的な意識と感覚を超えて、新たな言語使用でもって既存の想像域を変えていこうとする、第二世界の〈場所〉を探してきた詩人や思想家たちの試みだった、とわたしは思っている。この間対話をつづけてきたテクストのなかで、連想的にまず思い起こすのはアンリ・ミショー（一八九九

――一九八四）の「イニジ」（一九六二）だ。

もうできない、イニジ／スフィンクス、球体《スフェール》、偽記号、イニジへの途上の障害物〔……〕世界。世界以上／ただ混交物《アマルガム》だけ〔……〕アナニナ　イニジ／アンナンアニムハイニジ／オルナニアン　イニジ〔……〕

その魔術的にして奇怪に響く言葉の数々は、わたしたちの日常世界の光景を一変させる。ル・クレジオ（一九四〇生）が『氷山へ』（1978／拙訳、水声社、二〇一五）のなかで指摘するとおり、「イニジ」の言葉は日常的言語にはどう考えても属していない。

もちろん、言語《ランガージュ》に属するこれらのことば、これら普通のことばは大事だと思われてきた。猟犬のように調教され、狩る――探し、吠え立て、殺すことに役立つ、そうしたことば。しかし、もうひとつの言語《ラング》、生まれる以前からひとが話してきた言語がある。何にも役に立たない、人間と人間との交易・交流の言語ではない、太古の言語。

意味伝達のために発達してきた言語、社会生活を成り立たせるコミュニケーション手段としての言語には一切属さない言葉の数々。何にも役に立たないからこそ、わたしたちを揺るがす呪術的力（揺らぎ＝震え）を秘め、読まれるのを待つ言葉たち。アントナン・アルトーの言葉もそうだ。アウトサイダーの生を余儀なくされたアルトーの、あえて意味を剥奪した音韻詩。o dedi/a dada orzoura/o dou zoura/a dada skizi……

この音韻詩を再解釈し、アルトーに捧げたレコード《ターナカーン》（一九八二）で稀代のヴォイスパフォーマンスを吹き込んだ歌手コレット・マニーのことも想起したい。彼女はその巨大な体軀のうちにアルトーと共振する深い孤独を抱え込みながら、想像域のこの大規模な蜂起に、フリージャズや実験音楽のミュージシャンと一緒に身を投じ、世界中の社会的弱者のために、さらには家畜化された動物たちのためにも歌いつづけた。

こうした詩人たちの、普段は忘れられた言葉がわたしにとって世界の今を紛れもなく刻印している。なによりも詩とは、それが一読して瞬時に理解されることを拒む場合、読者には絶えず遅れてやってくる。理解に至るまで時差を伴う、そうした質で書かれた言葉がある。遅れてくる種類の言葉は、したがって時間の外にあり、過去には属さない、と言えるかもしれない。グリッサンが述べたように、それはいつでも来たるべきものだ。だからこそ詩的なものは、かつても今も、わたしたちの震えとなることを待っている。

6 野生の思考と芸術

二〇二〇年度のもっとも鮮烈な読書体験は、クロード・レヴィ＝ストロースの『野生の思考』（一九六二／大橋保夫訳、みすず書房、一九七六）だった。手元の版は一九九五年の第二一刷。いつ買ったのかも、どこまで読もうとしたのかも、もはや思い出せない。手がかりは当時の付箋や下線であるが、正直なところ、どれもが的外れで、まったく読めていないのだから、思い出せないのも当然だ。

本書を通読することになったのは、セメスターの学期ごとに一冊の本を教材にして読み進める方針の、早稲田大学法学部で開講している演習の授業で、当初の指定図書だったジャン＝ジャック・ルソーの『人間不平等起源論』（1755／坂倉裕治訳、講談社学術文庫、二〇一六）を、早々に読み終えてしまった七人の受講生による、軽やかな提案がきっかけだった。

そもそもわたしがルソーを取り上げたいと思ったのは、自然状態（人間の本性）を善とする確信から文明を批判するルソーの思想にどのような今日性があるのか、という問いを念頭に置きながら、『人間不平等起源論』に付された膨大な注を、受講生と一緒に精読したかったからだ。その注は、主にさまざまな旅行記の引用からなり、格差の上に成り立つ文明社会よりも、所有の観念をもたない、自然状態に近い人々のほうが不平等を知らないとする、ルソー自身の考えを傍証するために引かれている。文明社会を相対化し、自民族中心主義的な奢りを知らないこうした発想こそ、「人類学の創始者ルソー」とレヴィ＝ストロースが称えたものだった。

わたしのおおまかな見取り図では、ルソーに典型的に見られる「善良な野生人」の系譜や、ヴィーコの詩的知恵の議論から出発して、二十一世紀における〈自然〉と〈文化〉の関係を根本的に再考する関係論的人間学の思想史を描けるのではないか、と考えている。目下そうした講義科目を準備しようとしていることもあって、この機会に本書を読むことは、わたしにとっても渡りに船だった。

しかし、本書は予想以上に手強かった。九章あるため、章ごと読み進んでも授業期間内で終わらず自主ゼミを追加で行なうのは当然としても、前提となる人類学の学説史、言語論的転回の認識と切り離せない構造論、さらには哲学から情報理論まで、本書は相当の知識を読者に要求してくる。受講生は、各章のレジュメを作成するのに最低でも週末二日分を丸々潰さなければならないほどだった。

にもかかわらず、途中で放棄することなく読み進められたのは、その圧倒的な面白さである。本書の概説については渡辺公三の『闘うレヴィ＝ストロース』（平凡社ライブラリー、二〇一九）および『レヴィ＝ストロース』（講談社学術文庫、二〇二〇）を参照いただくとして、その面白さをわたしなりに記せば、なによりも、西洋中心主義的歴史観や、進歩主義史観をその土台から掘り崩すような、もうひとつの体系的思想を、「未開社会」の豊富な事例にもとづきながら、明証しようとしたことにある。原著が一九六二年刊であるから、今から約六十年も前のことだ。「フランスにおける戦後思想史最大の転換をひき起こした著作」という訳者あとがきの文言は文字通り受け止めなければならず、本書がその論証をつうじて決定的な認識を示したことは疑いない。近年の私的読書体験では、ダーウィンの著作を読んだときの感動に近い。『野生の思考』の以前／以後はたしかに存在するのである。

本書の魅力はとりわけ第一章「具体の科学」に発揮される。具体の科学とは実験や体験によって得られていく経験的知や、直感によって掴み取られる美的把握のことであり、端的には野生の思考のことだ。一般に、科学とは近代科学を指す、とわたしたちは思いがちだが、近代科学以前にも科学的思考は存在した。レヴィ＝ストロースの考えでは、新石器時代以降、近代科学が生み出されるまで、人類に共通したのが具体の科学だった。ところが西洋社会は、具体の科学とは異なる手続きの知の形態を発展させた。それが近代科学である。このため近代科学は、それ以前、それ以外の文化の知を「非科学的」「非合理的」と見なすようになった。すなわち、レヴィ＝ストロースは、西洋社会が前提とする近代科学的な知をいったん括弧に入れて、それとは異なるタイプの思考が、近代科学的な知とは別のかたちで、合理的にして見事であるさまを、オーストラリアや北米の先住民の事例を主に参照しながら論証していくのである。

とくに興味深いのは、この具体の科学ないし野生の思考は、近代科学を経験した社会、すなわち栽培種化された思考を発展させた社会のなかにも見出せるという指摘だ。近代科学と野生の思考が並存しているのは普通のことであり、フランスにおいても「未開社会」の慣習と同じ機能の慣習があることや、車の運転で発揮される野生の思考、野生の思考と芸術領域との親和性などが言及される。進歩に立脚する科学主義や西洋中心主義的歴史観は、こうした野生の思考を気に留めないか、劣ったものと見なす傾向にあり、その現代の代表例としてレヴィ＝ストロースは、ジャン＝ポール・サルトルの『弁証法的理性批判』（一九六〇／竹内芳朗ほか訳、全三冊、人文書院、一九六二—七三）を挙げ、第九章で批判している。

なかでも鋭いのは、サルトルの方法のうちに「未開人」と同じ野生の思考が働いている、と喝破している点だ。レヴィ＝ストロースによれば、サルトルは歴史を神話として解釈している。すなわち、サルトルが、実際のことと関係なく信じているのは、フランス革命が歴史の動因だとする神話であり、この意味で自分が「文明人」であるのを当然視するフランスの大思想家が皮肉にも「未開人」の思考と比較されるのだ。サルトルにおける人間中心主義と近代主義をも相対化する見事な批判だ。

とはいえ、本書のもっとも肝要な点は、〈自然〉と〈文化〉の非近代主義的関係を構想するうえで欠かせない、野生の思考という魅力的な発想を未来に向けてどのように活用していくかにあるだろう。最近『野生の思考』について誰かと話したさい、この本がさまざまなアイデアの道具箱である、といった発言を聞いた。まさにそうだと思う。中沢新一の『野生の科学』（講談社、二〇一二）など本書を土台とする瞠目すべき仕事もあるように、本書から開かれる風景は、いまだ驚きと新鮮に満ちている。

7 詩人たちの第二世界

レヴィ＝ストロースが提起した、西洋の近代科学とは異なる論理にもとづく「具体の科学」という魅力的構想は、その根源において、人間の美的・感性的把握にもとづく論理の復権を目指していた。

ところが、人文学の一般的環境は、いまだ「具体の科学」が提起する問題意識を共有しているとは言い難い。むしろ二十一世紀に求められる人文学のオフィシャルな姿とは、大学人に限るならば、数値化された合理的業績主義と競争的資金を得た研究計画でもって築かれるべきものであるかのようだ。合目的性を有する数年間の研究により短期的成果を出すこと、研究の進捗状況を毎年確認し、研究の妥当性を自己管理すること、学会で発表したり共同研究を行なったり、さらには自己プロデュースしたりして時流を意識した社会的要請に応える研究をすること……。

二十一世紀の人文学者とその関係者が置かれる、こうした現状に危機感を覚える者として、わたしたちが見出すべき第二世界の未知なる場所とは、反動的哲学者エルネスト・グラッシ（一九〇二―一九九一）の『形象の力』（1970／原研二訳、白水社、二〇一六）、高山宏セレクション〈異貌の人文学〉の渾身の一冊である。

本書の見立ては、明快の一言に尽きる。目指されるのは、哲学と芸術の再統合であり、弁論術に代表されるフマニスムの伝統の復権だ。著者の思想的対決相手は、なんとも分かりやすいことにデカルトただ一人。なぜなら、近代哲学の出発点は、デカルトが哲学の第一の礎石とした明証性の規則にあるからだ。

デカルトは言う。

明証的ではない原理から導き出される結論は、たとい導き出しかたが明証的であろうとも、いずれも決して明証的ではあり得ません。従って、かような原理を支えとしたあらゆる推論は、いかなる事物についても彼らに確実な認識を与え得ず、従って知恵の探究において、彼らを一歩も前進せしめ得なかったわけです。

（「仏訳者への著者の書簡」、『哲学原理』桂寿一訳、岩波文庫、一九六四年）

すなわち、デカルト以降の近代哲学は、論証された「真」から出発しなければならない。この知的態度の徹底は言語の厳密な論証的使用を求めることになる。ここから、弁論術や修辞学といった、反論証、非合理を取り扱う哲学の伝統は「偽」の論証として切断されてしまった。言い換えるならば、近代哲学は理性を第一に重視し、合理的に取り扱えるロゴスの問題だけに的を絞り、言語の有するパトス的効果を軽視するようになったのだ。本書の例では、ロック、カント、ヘーゲルといった大哲学者たちにとって弁論術、想像力、形象は批判すべき「非科学的なもの」だった。

本書の執筆意図は、こうしたパトス軽視を超えて、ロゴスとパトスの統一を目指したイタリアのフマニスムの伝統を発見することにある。まさに〈発見〉とは、本書の思想的典拠にしてフマニスムの伝統を継ぐジャンバッティスタ・ヴィーコが第一に重視した思考法だ。デカルトとの批判的対話をつうじて、ヴィーコはデカルト哲学が前提とする揺るぎない基盤としての「知の根拠を形成すべき演繹不能の明証性の真理」を確認する。この「第一真理」から出発するのが近代の自然科学であるが、それによりデカルトが締め出したのが、文学や修辞学のような「真理のようなもの」の領域であった。ところが、この真偽判断の根拠となる「第一真理」に先行するものがある。〈発見〉だ。ヴィーコによれば、あらゆる合理主義的思考の前には、この〈発見〉があり、これ自体は、弁論術をめぐるフマニスム的伝統のなかで重視されてきたものだった。

ここで問題は核心に迫る。わたしたちは、合理的言語、理性的な思考に縮減された「真理」だけではなく、「真理のようなもの」をふくめた事柄を〈発見〉することを優位とする、この切断された哲学的伝統に立ち戻ったところから、形象の力を探究すべきなのではないだろうか。

グラッシのこうした確信を支えるのは、わたしの見るところ、人間とは何か、という問いにある。グラッシが人間の人間たる所以を提示するのに参照するのは、ヤーコプ・フォン・ユクスキュル（一八六四―一九四四）だ。

ユクスキュルの『生物から見た世界』（一九三四／日高敏隆＋羽田節子訳、岩波文庫、二〇〇五）で提唱される「環世界」の概念をつうじてグラッシが強調するのは、次のことだ。すなわち、「動物は世界を〈記号〉によって認識するための能力、前もって完成された誤謬なく反応する能力を持っている」。これにたいして、「人間は環境そのものを構築しなければならず、世界解釈の能力をまず発展させねばならず、行動の由《よ》ってきたる〈成型〉、〈観念〉からまず認識の対象とされねばならない。この過程の意味するところは、自分とは〈成る〉もの、〈自己‐形成〉するものだということである」。

このように環世界を踏まえたグラッシの考えでは、動物があらかじめ形成された世界に適応するのにたいし、人間とはこの環世界それ自体を形成していく。これがなによりも著者が形象の力、すなわち言語による経験の確定からその拡張を生み出すメタファーや、根源的なものを生み出すメタファーとしての「天与のもの《インゲニウム》」(〈原理的なもの〉を対象とする能力)を重視する所以である。

いまわたしたちが資源の無際限の略奪を生み出してきた人間中心主義を問い直し、再びユクスキュルの環世界に注目し、人新世という問題意識をもつに至るのも、グラッシ流に言うならば、明証性の原理と言語の合理主義的理解にもとづく近代主義的世界認識を相対化しようとしているからだ。そしてこのことは、原著出版の三十七年前に、この反動的哲学者がイタリアのファシスト党に入党した政治的経歴やハイデガーに傾倒したという思想的経歴を振り返るとき、この本の試みがこうした過去の精算と捉えるべきなのかどうか、容易に裁断できない複雑さを秘めているとも言える。この点を抱えておく必要はある。

いずれにせよ〈発見〉から着想される世界認識を有することを奨励する本書が真に称えているのは誰か。それは詩人にほかならない。これはなによりも言語の詩的・創造的機能を最大限に評価する、文学に捧げられた哲学書あるいは「具体の科学」を構想する基礎文献として読まれるべきではないだろうか。高山宏は本書に寄せて次のように言う。「人文学の精髄の片鱗すら知らぬ徒輩が人文学の終りを叫んでいて、片腹いたいのだ」

その通りだ。その精髄の片鱗をさまざまに発見することから、わたしたちは、わたしたちの第二世界のために、人文学の環境を新たに作り直さなければならない。

あとがき

第二世界の地図作成のために

この本を書いているあいだに訪れた場所が、この本のそこかしこに響いている。マルティニック、パリ、ストラスブール、ニューカレドニア、沖縄といった場所の記憶が。

本書を準備している途中で、パンデミックにより移動が途方もなく制限されてしまった。とはいえ、物理的移動ばかりが移動ではない。むしろどこにいるあいだでも、わたしの思索と執筆を誘うのは、本の世界を旅したあとだった。だから第二世界を探し求める旅は、読書のそれだという意味では終わりはない。

この旅に終わりはないけれども、本にはひとつの区切りがある。「あとがき」とはその区切りを示す場所だ。『第二世界のカルトグラフィ』と題したこの本へのあとがきに記しておきたいのは、この旅を当て所なく始めたときには気づかず、本書を編むにあたって事後的に見えてきた、第二世界のための地図の作成法である。

本書に出てくる詩人や作家や芸術家とその作品は、どれもが、わたしたちがふだん生きている場所とは異なる〈場所〉を指し示していた。第二世界の見えない地図に所在するそれらの〈場所〉は、ときに苦しみの想像力に満ちている。それは多くの人々があえて気づこうとしない、この世界の苦しみそのものだ。けれども、その苦しみが示すのは、これを乗り越えたところに認められる希望でもある。希望とは、そうなってほしい、となんとなく期待する未来というよりも、わたしたちの生きる世界を第二世界に変えるためのささやかな意思だ。

第二世界の地図はこの意思にもとづいて作成されるはずだ。わたしがその作成法のひとつに考えているのは、本書の鍵となる思想家ジャンバッティスタ・ヴィーコが重視した発見術、これを応用するという方法である。わたしたちの思考法はふだん悟性的判断力にもとづいているが、この判断力に先立つものが、本書でエルネスト・グラッシのヴィーコ解釈によって着目した〈発見〉である。この〈発見〉という着想は、さかのぼればアリストテレス以来のレトリックの伝統のうちに見出される判断術と発見術の区別のうちに見出されるが、ヴィーコ研究者の上村忠男の指摘を踏まえれば、ヴィーコの独創とはこの〈発見〉を、古代人の詩的知恵に結びつけたことにある。

この観点は、合理的思考法を相対化し、感性的思考法の復権をはかる展望を切り拓いている点でたいへん興味深い。第二世界の地図作成において重要なのは、太古の詩人たちのように、わたしたちの認識形成の論拠（レトリック用語でいえばトピカ）となる〈場所〉を〈発見〉することである、と捉えられるからだ。発見術とはこの意味ですぐれて創造的な行為なのである。

発見術による世界の捉え方とは、この世界にたいするわたしたちの認識をがらりと変えてしまうほどのものだ、とわたしは直観している。というのも、ふだんのわたしたちは、既成の価値観や基準にもとづいて悟性的判断力を働かせているにすぎない、と言えそうだからである。そのとき、わたしたちの感性はこの判断力の範囲内にとどまっている。だから、わたしたちは常識人であるかぎりで、第二世界があることを疑ってしまうばかりか、そんなものは存在しないと思い込んでしまう。あるいは、最初からそう思い込まされてしまっている。

パトリック・シャモワゾーの小説世界が示すように、第二世界を発見できる資質をそなえているのは、大人よりも子どもだろう。このことは、ヴィーコが太古の詩人を幼児に喩えたことと無縁ではない。世界があらかじめ与えられた意味や価値に分節化される以前に、目の前に生じている現象を、子どもの感性で捉え、子どもの感覚で言語化してみること。それは、あたかも一義的に見えるこの世界を揺さぶり、社会の価値観に慣れきってしまった大人にたいして見えないものを現出させる、創造的行為だといえるだろう。発見術とは、この意味で大人から子どもへの自覚的な方法的退行であり、栽培種化された思考を相対化する「野生の思考」への意識的回帰なのである。

こうした第二世界への冒険にわたしを誘ってくれたのは、書評紙『図書新聞』編集部の須藤巧さんである。この本の原稿の大半は、同紙で不定期にもった連載「感傷図書館《サンティマンテック》」にもとづいている。「感傷図書館」という連載名はシャモワゾーの『支配された国で書くこと』（1997）に頻出するSentimenthèqueに由来する。「感情」と「図書館（蔵書）」を組み合わせたこの造語は、シャモワゾーの個人的心象の書棚を指している。『カリブ海偽典』の訳者、塚本昌則は、この語を

「感傷図書館」と訳し、わたしはこの見事な訳語をそのまま連載名にしたのだった。ジャン・ベルナベの追悼文から始まるこの連載を、わたしはその都度、一冊ないし複数の本と絡めるかたちで執筆していった。結果、この不定期の連載は全二十四回にわたってつづくことになった。

「感傷図書館」は感傷に浸りやすいわたしの性格と馴染むところがあってひそかに気に入っていたのだが、この連載名にこだわっていたら、ことの本質を見誤って終わっていたにちがいない。完了した連載が本というかたちで生まれ変わるさい、そのことをただちに見抜いたのは、共和国代表の下平尾直さんだった。下平尾さんの示唆があって初めて、わたしはこの連載が自分にとってなんだったのかを考え直した。わたしはその手がかりをシャモワゾーの作品のなかに今一度求めた。こうしてわたしが（再）発見したのが deuxième monde、つまり「第二世界」という魔法のような言葉だった。

シャモワゾーは自身を「失敗した詩人」と形容することがある。これは、エドゥアール・グリッサンが多大なる影響を受けたアメリカ合衆国南部の作家ウィリアム・フォークナー(一八九七—一九六二)の発言を踏まえている。詩人を目指しながらもその道を断念し、やがて「ヨクナパトーファ」という小宇宙を小説の言語で築き上げ、その架空の土地の地図をも作成したフォークナーがみずからを「失敗した詩人」と呼んだのだった。

実のところ、シャモワゾーのこの自称は彼の小説世界と詩との関係をひそかに示すためのものだ。小説と詩という既成の区分を超えて、シャモワゾーの小説のうちには詩的なものがあちこちで働いている。第二世界という着想もまた、この作家の詩人としての資質に由来している。

本書の冒頭でも述べたように、第二世界という言葉は、ユートピアのひとつの呼称だ。それをなんと呼ぶのかは人それぞれだ。しかし、たとえばユートピアというだれもが使いすぎてしまってその大切な意味が見失われがちなこの語を別様に表現するということじたいが、〈発見〉であり、詩的発明なのだ。

わたしたちはだれもが潜在的には「詩人」であるか「失敗した詩人」なのである。たしかにわたしたちは太古の人々ではないかもしれない。けれども、だれもがみな幼年期を過ごし、子どもだった時代がある。ということは、わたしたちは、わたしたちの意思と心がけしだいで大人から子どもへ自覚的に戻ることができるわけだ。そのようにして世界との関係を日々編み直すとき、わたしたちはわたしたちの日常のうちに普段とは異なる〈場所〉を〈発見〉するだろう。

第二世界の入口を。

中村隆之

二〇二二年七月

N
NW
NE
W
E
SW
SE
S

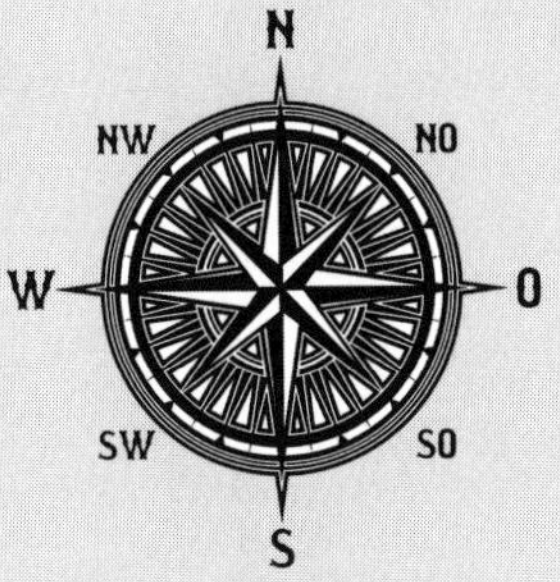
N
NW
NO
W
O
SW
SO
S

N
W
E
S

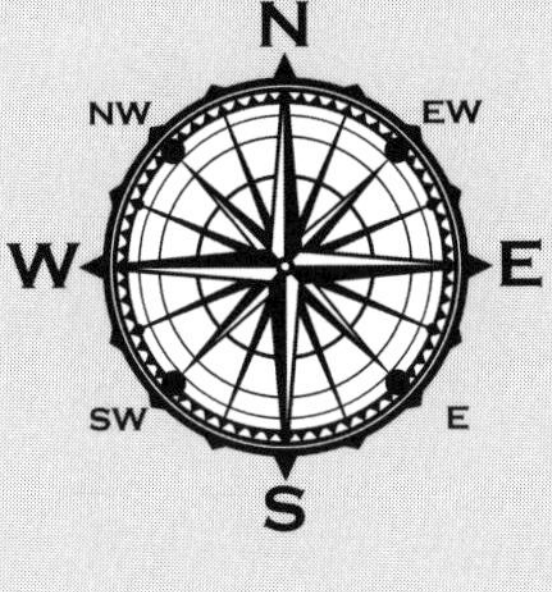
N
NW
EW
W
E
SW
E
S

初出一覧

本書は、二〇一七年五月から二〇二一年五月にかけて『図書新聞』に断続的に連載した「感傷図書館」を中心に、配列を変えたり手を加えたりするなどして四部構成とした。煩瑣を避けるために、初出が掲載された『図書新聞』の号数のみを示しておく。

三三〇二号（第Ⅲ部1）、三三〇七号（第Ⅳ部1）、三三一四号（第Ⅰ部1）、三三二〇号（第Ⅱ部4）、三三三一号（第Ⅲ部4）、三三三五号（第Ⅱ部1）、三三五六号（第Ⅱ部2）、三三六五号（第Ⅱ部3）、三三七〇号（第Ⅳ部4）、三三七四号（第Ⅲ部2）、三三七五号（第Ⅰ部2）、三三七九号（第Ⅳ部3）、三三八八号（第Ⅲ部7）、三三九九号（第Ⅱ部6）、三四二一号（第Ⅰ部4）、三四二六号（第Ⅰ部5）、三四二八号（第Ⅳ部2）、三四三六号（第Ⅰ部3）、三四四七号（第Ⅲ部5）、三四五四号（第Ⅰ部7）、三四五六号（第Ⅲ部6）、三四七六号（第Ⅰ部6）、三四八六号（第Ⅳ部6）、三四九六号（第Ⅳ部7）

そのほかに、以下の作品を収録した。

『図書新聞』三三六四号（第Ⅲ部3）、
『図書新聞』三四八九号（第Ⅱ部5）、
『現代詩手帖』二〇二一年五月号（第Ⅳ部5）

また、序文にあたる「第二世界は存在する」、および「ディストピア小説に映し出される近未来」（本書第Ⅱ部7）、あとがき「第二世界の地図作成のために」は書き下ろしである。

本書は、科研費・研究課題番号15K16716、15H03200、17H02328、19K00482の研究成果の一部である。

NAKAMURA Takayuki

中村隆之

一九七五年、東京都に生まれる。フランス語圏の文学、批評、翻訳。東京外国語大学大学院地域文化研究科博士後期課程修了。博士（学術）。現在は、早稲田大学法学学術院教員。

おもな著書に、『魂の形式――コレット・マニー論』（カンパニー社、二〇二一）、『野蛮の言説――差別と排除の精神史』（春陽堂書店、二〇二〇）、『エドゥアール・グリッサン――〈全‐世界〉のヴィジョン』（岩波現代新書、二〇一六）、『カリブ‐世界論――植民地主義に抗う複数の場所と歴史』（人文書院、二〇一三）など多数。

おもな訳書に、アラン・マバンク『アフリカ文学講義――植民地文学から世界‐文学へ』（共訳、みすず書房、二〇二二）、『ダヴィッド・ジョップ詩集』（夜光社、二〇一九）、エドゥアール・グリッサン『フォークナー、ミシシッピ』（インスクリプト、二〇一二）など多数。

二〇二二年七月三〇日初版印刷
二〇二二年八月一〇日初版発行

第二世界のカルトグラフィ

著者……中村《なかむら》隆之《たかゆき》
発行者……下平尾 直
発行所……株式会社 共和国
東京都東久留米市本町三-九-一-五〇三 郵便番号二〇三-〇〇五三
電話・ファクシミリ〇四二-四二〇-九九九七
郵便振替〇〇一二〇-八-三六〇一九六
http://www.ed-republica.com
印刷……モリモト印刷
ブックデザイン……宗利淳一
DTP……木村暢恵

IBN978-4-907986-91-9 C0098

境界／の／文学

各巻四六変判上製／表記は本体価格

アーノルド・ゼイブル／菅野賢治
カフェ・シェヘラザード
320頁　3200円　2020年8月刊

清田政信
渚に立つ──沖縄・私領域からの衝迫
276頁　2600円　2018年8月刊

ジョゼフ・チャプスキ／岩津航訳
収容所のプルースト
228頁　2500円　2018年1月刊

高橋新吉
ダダイストの睡眠
264頁　2600円　2017年8月

和田忠彦
タブッキをめぐる九つの断章
216頁　2400円　2016年12月刊

イルマ・ラクーザ／山口裕之訳
ラングザマー──世界文学でたどる旅
216頁　2400円　2016年11月刊

くぼたのぞみ
鏡のなかのボードレール
212頁　2000円　2016年6月刊